日本摂食嚥下リハビリテーション学会eラーニング対応

第1分野

摂食嚥下リハビリテーションの全体像 Ver.4

日本摂食嚥下リハビリテーション学会　編集

医歯薬出版株式会社

編集（日本摂食嚥下リハビリテーション学会教育委員会「摂食嚥下リハビリテーションの全体像」担当．＊同委員会委員長）

出江紳一＊：鶴巻温泉病院副院長
柴田斉子：藤田医科大学医学部リハビリテーション医学講座准教授
尾﨑研一郎：足利赤十字病院リハビリテーション科副部長

執筆者一覧（執筆順）

才藤　栄一：藤田学園最高顧問
　　　　　　藤田医科大学教授
椿原　彰夫：川崎医療福祉大学学長
依田　光正：昭和大学医学部リハビリテーション医学講座教授
下堂薗　恵：鹿児島大学大学院医歯学総合研究科リハビリテーション医学分野教授
松尾浩一郎：東京科学大学大学院医歯学総合研究科地域・福祉口腔機能管理学分野教授
飯田　貴俊：北海道医療大学歯学部摂食機能療法学分野教授
重松　　孝：浜松市リハビリテーション病院えんげセンター長
藤島　一郎：浜松市リハビリテーション病院特別顧問
野﨑　園子：関西労災病院脳神経内科
藤本　保志：愛知医科大学医学部耳鼻咽喉科・頭頸部外科学講座教授
山田　律子：北海道医療大学看護福祉学部看護学科（老年看護学）教授
辻村　恭憲：新潟大学大学院医歯学総合研究科摂食嚥下リハビリテーション学分野准教授
小口　和代：刈谷豊田総合病院リハビリテーション科部長
藤谷　順子：国立国際医療研究センター病院リハビリテーション科医長

日本摂食嚥下リハビリテーション学会教育委員会

出江紳一（委員長），石野智子（～2024年），尾﨑研一郎，工藤美香（2024年～），重田律子，小山珠美（～2024年），柴田斉子，戸原玄，中尾真理，中山渕利，弘中祥司，福永真哉，山根由起子（2024年～），渡邉理沙

This book is originally published in Japanese
under the title of：

NIHON SESSHOKU-ENGE RIHABIRITESHON GAKKAI I RANINGU TAIO
DAI 1 BUNYA SESSHOKU-ENGE RIHABIRITESHON-NO ZENTAIZO BAJON 4
(Based on The Japanese Society of Dysphagia
Rehabilitation e-learning programs
"1. Introduction of Dysphagia Rehabilitation" Ver. 4)

Editor：
The Japanese Society of Dysphagia Rehabilitation

Ⓒ 2011 1st ed.
Ⓒ 2025 4th ed.
ISHIYAKU PUBLISHERS, INC.
　7-10, Honkomagome 1 chome, Bunkyo-ku,
　Tokyo 113-8612, Japan

シリーズ Ver. 4 発行にあたって

　日本摂食嚥下リハビリテーション学会（以下，学会）の会員数は15,000人を超え，さらに増加を続けている．また認定士は4,000人を超え，会員のなかで認定士が占める割合も増加している．それぞれの地域のニーズに対して未だ充足しているとはいえないにしても，このような普及は世界的にも例をみない．これは日本の医療者が「食」というQOLをいかに大切に扱ってきたかを反映していると思われる．

　誰でもが最初は初心者である．教育-研究-臨床実践は一体であり，知識を実践し，疑問を研究に結びつけ，その努力が新たな知識を生みだす．摂食嚥下リハビリテーションという学際科学の発展は，30年前の初心者が地道に努力を続けてきた結果であることは間違いないが，そのような臨床家が集まり知見を交換する場を提供し，さらに教育コンテンツとして誰でもがアクセスできるようにした学会の意義は大きいと考える．

　本書は，学会インターネット学習システム（eラーニング）の参考書である．令和6年度のeラーニング改訂にあわせて本書も改訂されることとなり，ここに上梓されるに至った．今改訂においても新たなコンテンツの作成にあたられた方々をはじめとして関係各位に感謝申し上げる．現在の学問と臨床の水準にあわせてそれぞれのコンテンツを改訂したことに加えて，概念を整理するために内容の移動など編集にも注意を払った．今回新たに加わった項目として，「原因疾患：認知症」「コーチング」「気管カニューレ」「小児に対する画像検査の適応と実際」がある．病態を深く理解するとともに，患者・家族とのコミュニケーションを大切にして多職種協働を実践することがこの分野でも求められている．

　本書の内容は，摂食嚥下リハビリテーションの実践において多職種が連携するための共通言語である．学会認定士を目指す方はもちろん，すでに専門家として活躍されている方々が，周囲のスタッフを巻き込んで連携するための教育ツールとして活用することもできるだろう．本書が患者さんのために日々努力されている臨床家や教育者の役に立つことを願っている．

令和6年11月

一般社団法人日本摂食嚥下リハビリテーション学会
教育委員会委員長　**出江紳一**

シリーズ Ver. 3 発行にあたって

　日本摂食嚥下リハビリテーション学会（以下，学会）の会員数は15,000人を超え，毎年1,000人以上のペースで増加している．認定士は3,000人を超える．それぞれの地域のニーズに対して未だ充足しているとはいえないにしても，このような普及は世界的にも例をみない．これは日本の医療者が「食」というQOLをいかに大切に扱ってきたかを反映していると思われる．

　誰でもが最初は初心者である．教育-研究-臨床実践は一体であり，知識を実践し，疑問を研究に結びつけ，その努力が新たな知識を生みだす．摂食嚥下リハビリテーションという学際科学の発展は，30年前の初心者が地道に努力を続けてきた結果であることは間違いないが，そのような臨床家が集まり知見を交換する場を提供し，さらに教育コンテンツとして誰でもがアクセスできるようにした学会の意義は大きいと考える．

　本書は，学会インターネット学習システム（eラーニング）の参考書である．令和元年度のeラーニング改訂にあわせて本書も改訂されることとなり，ここに上梓されるに至った．今改訂においても新たなコンテンツの作成にあたられた方々をはじめとして関係各位に感謝申し上げる．現在の学問と臨床の水準にあわせてそれぞれのコンテンツを改訂したことに加えて，概念を整理するために内容の移動など編集にも注意を払った．特に項目として新たにサルコペニア（第5分野）を立てたのは，高齢者の嚥下障害関連肺炎と摂食嚥下障害，およびサルコペニアの関連が注目されるとともに，その知見が集積されつつあることによる．

　本書の内容は，摂食嚥下リハビリテーションの実践において多職種が連携するための共通言語である．学会認定士を目指す方はもちろん，すでに専門家として活躍されている方々が，周囲のスタッフを巻き込んで連携するための教育ツールとして活用することもできるだろう．本書が患者さんのために日々努力されている臨床家や教育者の役に立つことを願っている．

令和2年5月

一般社団法人日本摂食嚥下リハビリテーション学会
教育委員会委員長　**出江紳一**

シリーズ Ver. 2 発行にあたって

　本書は，日本摂食嚥下リハビリテーション学会インターネット学習システム（eラーニング）の参考書である．平成27年度のeラーニング改訂に合わせて本書も改訂されることとなり，ここに上梓されるに至った．これまで同学会認定制度の確立，eラーニングの立ち上げ，そして認定事業の継続と発展に携わってこられた関係各位に深く敬意を表する次第である．

　いうまでもなく摂食嚥下リハビリテーションは多職種協同の営みであり，疾患の急性期から生活期までの，すべての時期で重要な役割を演じるだけでなく，予防的な対応を含めると，ほとんどすべての国民に関係するといっても過言ではない．学会発足から20年が過ぎ，摂食嚥下リハビリテーションは専門性を深化させてきた．その多様で広汎な知識と技術のなかから，共通の基本的な医療関連知識を明示することが，専門領域の社会的責任として求められることになる．その意味で，誰でもが入手できる本書の意義は大きい．

　内容は，摂食嚥下の基本的理解，摂食嚥下障害の評価，同障害へのさまざまな対応等が網羅されており，それぞれの領域の第一人者により平易に述べられている．本書の基本的知識は日本摂食嚥下リハビリテーション学会認定士を目指す方はもちろん，すべての保健・医療・福祉関係者に有用であると思われる．より多くの方々が本書を参考書として摂食嚥下リハビリテーションの基本を学び，日々の実践に活かして下さることを願っている．

平成27年6月

一般社団法人日本摂食嚥下リハビリテーション学会

教育委員会委員長　**出江紳一**

シリーズ刊行に寄せて（Ver. 1収載）

　日本摂食・嚥下リハビリテーション学会は，摂食・嚥下リハビリテーションにかかわる多職種が集まり，患者ニーズに対し協力的，効率的，合目的に対応を考えるというtrans disciplinaryな対応を可能とすべく，1996年9月に発足した．以来，本分野の研究，発展，普及に努めており，現在では会員数が6,000名を超えている．また，2009年8月には一般社団法人となり，急速に高まる社会的ニーズに応えるべく法人格を取得し，アイデンティファイされることとなった．

　本学会は，この法人格取得と同時に認定士制度を設けた．その目的は，認定士制度規約の第1条に記されているが，「『日本摂食・嚥下リハビリテーション学会認定士』制度は，日本摂食・嚥下リハビリテーション学会総則第2条『摂食・嚥下リハビリテーションの啓発と普及，その安全で効果的な実施のために貢献する』を積極的に具現化するために，摂食・嚥下リハビリテーションの基本的な事項と必要な技能を明確化し，それらの知識を習得した本学会の会員を認定することを目的とする」である．本領域の活動は，多職種が担う．そのため，摂食・嚥下リハビリテーションを行うに当たって，当該職種が知っておかなくてはならない共通の知識，そして各職種の適応と制限に関する知識を明確化しておくことは，学会の重要な責務であろう．また，そのような知識を有するものを学会が認定し，その知識レベルを保証することは大変意義深い．

　この知識は，われわれの活動の基礎になるものである．そして，その学習方法の一つが，本書の骨子となるeラーニングにあたる．この概要は，インターネット上で体系的に6分野78項目に分類された最重要事項を供覧することで，上記のような共通知識の整理をはかるものである．そして，この課程を修めることが，認定士受験資格の重要な要件の一つとなる．

　さらに，認定士の展開としては，認定を得たものがそれぞれの専門職種において，より専門的な知識や技能を修得できるような構造が望ましいと考えられる．例えば，この認定士資格をもつものが，高度な実習を要するセミナーに参加ができるなどである．また，関連する他の学会の学会員が，この認定士の水準を十分に備えていると認められるような場合は，申請により認定士の資格を与えるなど，関連学会と発展的な関係を築く基盤となる．

　今回，ここに上記のようなeラーニング各分野の学習内容をもとに，書籍を刊行することになった．それは，eラーニング受講者の学習の便をはかるとともに，より多くの人に必要最低限の共通知識を知ってもらい，本領域がいっそう伝播することを企図したことによる．

　そうして学習基盤を整理することで関係職種の多くの方が本学会へ参加できるようになり，それによって摂食・嚥下障害を有する患者の幸せに少しでも寄与することができれば，望外の喜びである．

2010年8月

一般社団法人日本摂食・嚥下リハビリテーション学会
理事長　才藤栄一

緒　言（Ver. 1収載）

　本書は，日本摂食・嚥下リハビリテーション学会インターネット学習システム（eラーニング）の参考書である．eラーニングによる学習を支援することを目的とし，eラーニングコンテンツを踏襲した内容で構成されている．内容は豊富で網羅的なので，日本摂食・嚥下リハビリテーション学会会員以外の方々にもおおいに参考にしていただけるものになっている．

　eラーニングは，2010年7月16日に開講した．その構想は2007年に認定制を計画することが決まり，認定士としてふさわしい知識をどのように会員に伝達するかを検討する過程で始まった．当初は研修会を日本各所で開催し，これらを受講した会員が認定士試験受験資格を得るという従来型の案もあったが，日本摂食・嚥下リハビリテーション学会会員の職種は，非常に広範囲にわたるので，共通の基本的な医療関連知識を担保する必要があった．たとえば，医療の総論的な内容やリスク管理の知識は教育環境にいる人たちにはあまり馴染みがないかもしれないが，このような知識は学会認定士にとっては必須事項になるべきである．

　このような広い内容を含めると，およそ20時間に相当するセミナーが必要になる．これを研修会のスタイルで行うには，物理的，経済的に困難だった．また，日本摂食・嚥下リハビリテーション学会会員は，少人数職場に従事しているため気軽に学会や研修会に参加しにくい環境にあることも多い．このような背景から，当時の資格制度準備委員会（現認定委員会）は，認定士試験受験資格としてのeラーニング構想を理事会に提案し，理事会において歓迎をもって受理され，学会の最重点課題の一つになった．

　2008年の第14回学術大会では，総会，シンポジウムでこの構想を発表し，理解をいただいた．その後，2年の歳月を経て，何とか準備が整い，2010年7月，開講に至った．

　コンテンツの作成は，日本摂食・嚥下リハビリテーション学会認定士のうち資格制度準備委員会で推薦し，理事会で承認された各分野の専門家76名と認定委員20名が分業してあたった．内容に関しては，コンテンツの作成者と認定委員との間で調整を行った．この作業は困難なこともあったが，各コンテンツは工夫された．また，最初の構想では必要最低限の知識を中心に構成される予定だったが，この域を大きく超えて，非常に充実した内容になった．

　実際のeラーニングをご覧いただくとわかるが，1コンテンツ10から15枚程度のスライドに，解説文が付随し，それを読み進め，最後に確認問題をして1コンテンツが終了するという構成になっている．動画なども多用してあり非常にわかりやすい内容である．しかし，一度学習が終了したあとに，再度確認したいということもあるだろうし，もう少し詳しい解説がほしいということもあるだろう．

　本書はこのような要望に対応することを目的に出版された．より多くの方に，有効に活用していただけることを願っている．

2010年8月

一般社団法人日本摂食・嚥下リハビリテーション学会
認定委員会委員長　馬場　尊

CONTENTS

シリーズVer.4発行にあたって／*iii*　シリーズVer.3発行にあたって／*iv*
シリーズVer.2発行にあたって／*v*　シリーズ刊行に寄せて（Ver.1）／*vi*　緒 言（Ver.1）／*vii*
eラーニング書籍版全体項目／*xiii*

§1　総 論

1　リハビリテーション医学総論 （才藤栄一）2

1：はじめに … 2
- Chapter 1　はじめに … 2

2：活動医学とその汎用性〜臓器，病期 … 3
- Chapter 2　リハビリテーションという用語について … 3
- Chapter 3　リハビリテーション医学の特徴 … 3
- Chapter 4　リハビリテーション科と関連各科 … 4
- Chapter 5　リハビリテーション科と医療時期 … 4

3：活動と障害の階層的理解とシステム的解決 … 5
- Chapter 6　リハビリテーション医学の視座
　　　　　　——障害をもつ患者にとって生存は生活に直結しない … 5
- Chapter 7　リハビリテーション医学の視座
　　　　　　——患者を対象とする活動障害の階層的概観 … 6
- Chapter 8　リハビリテーション医学の基本課題 … 7
- Chapter 9　リハビリテーションチーム
　　　　　　——活動医学の長い橋を多職種チームでつなぐ … 8
- Chapter 10　摂食嚥下リハビリテーションチームの形態 … 8
- Chapter 11　システムとしての解決 … 9
- Chapter 12　システムとしての解決とは … 10

4：活動管理 … 11
- Chapter 13　治療計画 … 11
- Chapter 14　包括的医学管理——活動関連 … 12
- Chapter 15　不動と廃用：動かないことによる二つの問題 … 12
- Chapter 16　不動・廃用症候群 … 14
- Chapter 17　急性期病棟での嚥下回診 … 14

5：活動介入 … 15
- Chapter 18　活動機能構造連関 … 15
- Chapter 19　活動機能構造連関を使って鍛える … 16
- Chapter 20　人的/社会的/工学的支援 … 16
- Chapter 21　治療的学習 … 18
- Chapter 22　運動学習 … 19
- Chapter 23　運動学習とは … 19
- Chapter 24　新しいスキルの例 … 20
- Chapter 25　運動学習の主たる変数 … 20

Chapter 26	リハビリテーション医学の方法	20
Chapter 27	練習/訓練	21
Chapter 28	嚥下練習（直接練習/間接練習）	22
Chapter 29	摂食嚥下障害患者の課題練習過程	22
Chapter 30	スキル獲得の際の二つのパラドクス	23
Chapter 31	難易度パラドクス克服のための2方法	24
Chapter 32	難易度パラドクス克服のための課題乗り継ぎ	24
Chapter 33	摂食嚥下練習課題シリーズ	25
Chapter 34	まとめ	26

2　摂食嚥下のリハビリテーション総論　　（椿原彰夫）27

Chapter 1	摂食，嚥下，摂食嚥下障害とは何か？	27
Chapter 2	摂食嚥下障害と「正常」との境界は存在するのか？	27
Chapter 3	摂食嚥下障害の治療目的	28
Chapter 4	急性期からのリハビリテーション	28
Chapter 5	回復期における摂食嚥下リハビリテーションの体系	29
Chapter 6	直接的嚥下訓練（直接訓練）のみが摂食嚥下リハビリテーションではない	30
Chapter 7	摂食嚥下リハビリテーションにはチーム医療が重要！	30
Chapter 8	回復期における摂食嚥下リハビリテーションの戦略	30
Chapter 9	摂食機能療法の効果に関する多施設共同研究	31
Chapter 10	生活期にある患者の状態は常に一定ではない！	31

§2　解剖・生理

3　構造（解剖）　　（依田光正）34

Chapter 1	摂食嚥下に関係する器官の位置関係	34
Chapter 2	口腔	34
Chapter 3	歯　　（下堂薗 恵）	35
Chapter 4	舌	35
Chapter 5	舌筋群	36
Chapter 6	咀嚼筋群	36
Chapter 7	唾液腺	37
Chapter 8	咽頭	37
Chapter 9	咽頭の筋群	37
Chapter 10	咽頭筋内層と口蓋の筋群	38
Chapter 11	喉頭	38
Chapter 12	内喉頭筋と声帯の動き	39
Chapter 13	舌骨	40
Chapter 14	舌骨筋群	41
Chapter 15	食道	41

4 機能（生理） （下堂薗 恵）42

- Chapter 1　摂食嚥下運動の過程（時相）：5期モデル …… 42
- Chapter 2　先行期——摂食行動の誘因（刺激）と発現 …… 42
- Chapter 3　口唇の運動——口唇によるとり込み …… 43
- Chapter 4　顎運動——開口と閉口，咀嚼運動 …… 44
- Chapter 5　唾液の生理 …… 44
- Chapter 6　舌運動 …… 45
- Chapter 7　舌の感覚情報伝達 …… 45
- Chapter 8　嚥下運動 …… 46
- Chapter 9　嚥下運動に関与するおもな咽頭，喉頭の筋肉 …… 46
- Chapter 10　嚥下に関係する運動神経とおもな筋の働き …… 46
- Chapter 11　嚥下に関係する感覚神経の働き …… 46
- Chapter 12　嚥下反射の中枢機構 …… 47
- Chapter 13　摂食嚥下や関連運動の神経機構 …… 48

5 嚥下モデル：4期モデル・プロセスモデル・5期モデル （松尾浩一郎）49

- Chapter 1　4期モデル・プロセスモデル・5期モデル …… 49
- Chapter 2　4期モデルについて …… 49
- Chapter 3　咽頭期の詳細 …… 50
- Chapter 4　プロセスモデル …… 50
- Chapter 5　プロセスモデルの各期 …… 51
- Chapter 6　咀嚼中の器官の動き …… 51
- Chapter 7　プロセスモデルと4期モデルの比較 …… 52
- Chapter 8　stage II transport（第2期輸送） …… 52
- Chapter 9　液体と固体同時摂取（2相性食物摂取）時の食物の咽頭への進入様式 …… 54
- 参考　5期モデルの各ステージについて …… 54

§3 原因と病態

6 摂食嚥下各期の障害 （飯田貴俊）58

- Chapter 1　摂食嚥下の臨床モデルにおける期（stage）と相（phase）について …… 58
- Chapter 2　先行期（認知期）：視覚・嗅覚・触覚などにより食物を認知し，口へ運ぶ …… 59
- Chapter 3　先行期の障害 …… 59
- Chapter 4　準備期（口腔準備期）：食物を口に取り入れて，咀嚼，食塊形成し舌背上に食塊を保持して嚥下の準備をする …… 60
- Chapter 5　準備期の障害 …… 60
- Chapter 6　口腔期（口腔送り込み期）：舌や軟口蓋により適切なタイミングで食塊を咽頭に送り込む …… 61
- Chapter 7　口腔期の障害 …… 62

Chapter 8	咽頭期：咽頭に到達した食塊を食道へ送り込む	62
Chapter 9	咽頭期の障害	63
Chapter 10	食道期：食道に入った食塊を蠕動運動によって胃まで運ぶ	63
Chapter 11	食道期の障害	64

7 原因疾患：脳卒中　　　　　　　　　　（重松 孝，藤島一郎）66

Chapter 1	摂食嚥下障害の原因	66
Chapter 2	脳卒中（stroke）の病型分類	67
Chapter 3	脳卒中の症状	67
Chapter 4	脳卒中の画像診断	68
Chapter 5	脳卒中による摂食嚥下障害	69
Chapter 6	一側大脳病変による摂食嚥下障害	70
Chapter 7	球麻痺による摂食嚥下障害	71
Chapter 8	Wallenberg症候群の延髄病変と摂食嚥下障害との関連	72
Chapter 9	球麻痺のVE，VF	72
Chapter 10	偽性球麻痺による摂食嚥下障害	73
Chapter 11	偽性球麻痺の3分類	73
Chapter 12	偽性球麻痺のVE，VF	74
Chapter 13	偽性球麻痺と球麻痺の特徴（まとめ）	74
Chapter 14	脳卒中　遅発性摂食嚥下障害	75

8 原因と病態：神経筋疾患　　　　　　　　　　（野﨑園子）77

Chapter 1	神経筋疾患の摂食嚥下障害の出現様式による分類	77
Chapter 2	筋萎縮性側索硬化症（ALS）とその摂食嚥下障害	77
Chapter 3	患者ごとの呼吸機能と摂食嚥下障害の経時的な経過	79
Chapter 4	ALSの栄養管理	79
Chapter 5	ALSの摂食嚥下障害対策	80
Chapter 6	パーキンソン病（PD）の摂食嚥下障害	81
Chapter 7	PDの摂食嚥下障害対策	82
Chapter 8	Wearning-offのある場合の内服（レボドパ製剤）のタイミング	82
Chapter 9	Duchenne型筋ジストロフィー（DMD）の疾患概念と摂食嚥下障害	83
Chapter 10	DMD摂食嚥下障害対策のポイント	84
Chapter 11	筋強直性ジストロフィー（DM）の摂食嚥下障害	84
Chapter 12	DMの摂食嚥下障害対策のポイント	85
Chapter 13	重症筋無力症（MG）の摂食嚥下障害の特徴	86
Chapter 14	MGの摂食嚥下障害対策	86

9 頭頸部癌による嚥下障害　　　　　　　　　　（藤本保志）88

Chapter 1	頭頸部癌の特徴	88
Chapter 2	頭頸部癌による嚥下障害の特徴	89
Chapter 3	頭頸部癌の放射線治療	90

CONTENTS

Chapter 4	放射線治療による嚥下障害の病態	90
Chapter 5	放射線治療による嚥下障害——急性期	91
Chapter 6	放射線治療による嚥下障害——晩期	91
Chapter 7	晩期障害による嚥下機能低下の典型例	92
Chapter 8	手術後の嚥下障害の特徴	92
Chapter 9	口腔癌の嚥下障害	93
Chapter 10	舌半切後の手術野	93
Chapter 11	遊離組織移植	93
Chapter 12	進行した舌癌の切除	94
Chapter 13	中咽頭癌の切除	95
Chapter 14	喉頭癌／下咽頭癌治療と嚥下障害①	96
Chapter 15	喉頭癌／下咽頭癌治療と嚥下障害②	96
Chapter 16	喉頭癌／下咽頭癌治療と嚥下障害③	97
Chapter 17	手術後嚥下障害への対応	97

10　原因疾患：認知症　　　（山田律子）100

Chapter 1	認知症の人への摂食嚥下リハビリテーションの全体像	100
Chapter 2	認知症（dementia、neurocognitive disorder）とは？	100
Chapter 3	軽度認知障害（mild cognitive impairment；MCI）とは？	101
Chapter 4	認知機能検査（スクリーニング検査）	101
Chapter 5	認知症の症状と摂食嚥下障害	103
Chapter 6	認知症の原因疾患および治療可能な認知症	104
Chapter 7	Alzheimer型認知症（Alzheimer type of dementia；ATD）	104
Chapter 8	Alzheimer型認知症の摂食嚥下障害	105
Chapter 9	血管性認知症（vascular dementia；VaD）	105
Chapter 10	血管性認知症の摂食嚥下障害	106
Chapter 11	Lewy小体型認知症（dementia with Lewy bodies；DLB）	107
Chapter 12	Lewy小体型認知症の摂食嚥下障害	108
Chapter 13	前頭側頭型認知症（frontotemporal dementia；FTD）	108
Chapter 14	前頭側頭型認知症の摂食嚥下障害	109

11　加齢と摂食嚥下機能　　　（辻村恭憲）110

Chapter 1	はじめに	110
Chapter 2	高齢者にみられる低栄養	110
Chapter 3	高齢者に多い窒息事故	111
Chapter 4	高齢者に多い誤嚥性肺炎	111
Chapter 5	加齢に伴う誤嚥リスクの増加	112
Chapter 6	嗅覚・味覚の加齢変化	112
Chapter 7	歯数と咀嚼機能の加齢変化	113
Chapter 8	唾液腺と舌の加齢変化	114
Chapter 9	咽頭と喉頭の加齢変化	114

Chapter 10	咽頭期の加齢変化 ………………………………………………… 115
Chapter 11	食道および食道期の加齢変化 …………………………………… 115
Chapter 12	呼吸機能の加齢変化 ……………………………………………… 116

12 摂食嚥下に影響する要因 （小口和代）118

Chapter 1	摂食嚥下に影響を及ぼすもの …………………………………… 118
Chapter 2	意識と嚥下 ………………………………………………………… 118
Chapter 3	意識レベルの評価（Japan Coma Scale：JCS） ……………… 119
Chapter 4	意識障害の原因 …………………………………………………… 119
Chapter 5	薬剤の副作用 ……………………………………………………… 120
Chapter 6	摂食嚥下機能を改善する薬剤 …………………………………… 120
Chapter 7	気管切開 …………………………………………………………… 121
Chapter 8	気管切開および気管カニューレの目的 ………………………… 122
Chapter 9	気管カニューレの種類 …………………………………………… 122
Chapter 10	気管カニューレの摂食嚥下機能への影響 ……………………… 123
Chapter 11	経鼻経管栄養チューブの摂食嚥下機能への影響 ……………… 123
Chapter 12	経鼻経管栄養チューブの摂食嚥下機能への影響 ――嚥下内視鏡検査での観察例 ………………………………… 124
Chapter 13	経鼻経管栄養チューブの摂食嚥下機能への影響 ――嚥下造影検査での観察例 …………………………………… 125

13 合併症：誤嚥性肺炎・窒息・低栄養・脱水 （藤谷順子）127

Chapter 1	誤嚥と肺炎 ………………………………………………………… 127
Chapter 2	肺炎を起こす誤嚥 ………………………………………………… 127
Chapter 3	肺炎の症状と診断 ………………………………………………… 128
参考	誤嚥性肺炎と嚥下性肺炎 ………………………………………… 129
参考	医療・介護関連肺炎（NHCAP） ……………………………… 130
Chapter 4	発熱を認めた場合の鑑別診断 …………………………………… 131
Chapter 5	直接訓練施行中の症例が発熱をきたしたら …………………… 131
Chapter 6	誤嚥性肺炎の予防 ………………………………………………… 131
Chapter 7	窒息を起こす食物と場面 ………………………………………… 132
Chapter 8	窒息時の処置 ……………………………………………………… 133
Chapter 9	窒息が疑われた際の対応 ………………………………………… 133
Chapter 10	栄養の重要性 ……………………………………………………… 134
Chapter 11	脱水の危険とその把握 …………………………………………… 134
Chapter 12	脱水の所見と対策 ………………………………………………… 135

索 引 ……………………………………………………………………………… 136

本書は，日本摂食嚥下リハビリテーション学会eラーニングの内容に対応した書籍となっています．eラーニングの受講方法等につきましては，日本摂食嚥下リハビリテーション学会のホームページをご参照下さい．

eラーニング書籍版全体項目

分野 (第1段階)	授業科目 (第2段階)	コース (第3段階)	no.	管理者 (敬称略)
摂食嚥下リハビリテーションの全体像 (第1分野)	1. 総論	リハビリテーション医学総論	1	才藤栄一
		摂食嚥下のリハビリテーション総論	2	椿原彰夫
	2. 解剖・生理	構造(解剖)	3	依田光正
		機能(生理)	4	下堂薗恵
		摂食嚥下4期モデル・プロセスモデル・5期モデル	5	松尾浩一郎
	3. 原因と病態	摂食嚥下各期の障害	6	飯田貴俊
		原因疾患：脳卒中	7	重松 孝，勝島一郎
		原因と病態：神経筋疾患	8	野崎園子
		頭頸部疾患による嚥下障害	9	藤本保志
		原因疾患：認知症	10	山田律子
		加齢と摂食嚥下機能	11	辻村恭憲
		合併症：誤嚥性肺炎・窒息・低栄養・脱水	12	小口和代
		摂食嚥下に影響する要因	13	藤谷順子
摂食嚥下リハビリテーションの前提 (第2分野)	4. リスク回避	リスク回避のための基礎知識・環境整備	14	永見慎輔
		誤嚥への対処法：体位ドレナージ・スクイージング・ハフィング	15	加賀谷斉
		窒息・嘔吐への対処法	16	俵 祐一，神津 玲
		リスク回避に有用な機器と使い方	17	鈴木瑞恵
	5. 感染対策	感染防御総論	18	市村久美子
		食中毒の防止	19	石附智子
	6. 医療における対策	コーチング	20	出江紳一
	7. 関連法規・制度	訓練実施に関連する医療関係法規	21	鎌倉やよい
		摂食嚥下リハビリテーションにかかわる診療報酬	22	小野木啓子
		摂食嚥下リハビリテーションにかかわる介護報酬	23	植田耕一郎
摂食嚥下障害の評価 (第3分野)	8. 患者観察のポイント	主訴・病歴・問診	24	青柳陽一郎
		質問紙・身体症状・局所症状	25	加賀谷斉
	9. スクリーニングテスト	包括的評価(スクリーニングテスト)	26	深田順子，小山珠美
		その他のスクリーニングテスト	27	山口浩平，戸原 玄
		医療機器による評価	28	中山渕利
			29	中川量晴
	10. 嚥下内視鏡検査	概要・必要物品・管理	30	野原幹司
		検査の実際・合併症とその対策	31	藤井 航
		正常所見・異常所見、小児の検査の要点	32	太田喜久夫，木下憲治
	11. 嚥下造影	概要・必要物品・合併症とその対策	33	武原 格
		検査の実際・合併症とその対策	34	柴田斉子
		嚥下造影の正常所見・異常所見、小児に対する嚥下造影の要点	35	馬場 尊，北住映二
	12. 重症度分類	摂食嚥下障害臨床的重症度分類、摂食嚥下状況のレベル	36	國枝顕二郎，加賀谷斉
摂食嚥下リハビリテーションの介入 (第4分野)	13. 口腔ケア 総論	口腔ケアの定義、期待される効果	37	尾崎研一郎
		歯・義歯、口腔粘膜の基礎知識	38	渡邊 裕
		唾液の基礎知識	39	菊谷 武
	14. 口腔ケア 各論	口腔ケアの準備、必要器具・薬剤	40	柴田享子
		舌・粘膜の清掃方法、歯の清掃、洗浄・うがい・保湿、必要器具・薬剤	41	石田 瞭
		小児の口腔ケアのポイント	42	水上美樹

分野 (第1段階)	授業科目 (第2段階)	コース (第3段階)	no.	管理者 (敬称略)
摂食嚥下リハビリテーションの介入	15. 間接訓練 総論	間接訓練の概念	43	稲本陽子
		筋力訓練：関節可動域訓練の基礎	44	園田 茂
	16. 間接訓練 各論	口腔器官の訓練	45	西尾正輝
		鼻咽腔閉鎖・咽頭閉鎖訓練	46	倉智雅子
		発声訓練	47	福岡達之
		準備期・口腔期に対する間接訓練	48	熊倉勇美
		咽頭期に対する間接訓練：Thermal tactile stimulation、Shaker訓練・脳卒中・治療機器	49	椎名英貴
		咽頭期に対する間接訓練：チューブ嚥下訓練・バルーン拡張法	50	北條京子
		呼吸および頸部・体幹に対する訓練	51	俵 祐一，神津 玲
	17. 直接訓練 総論	直接訓練の概念：開始基準・中止基準	52	小島千枝子，岡田澄子
		段階的摂食訓練の考え方	53	柴本 勇
		気管カニューレ	54	金沢英哲
	18. 直接訓練 各論	直接訓練時の環境設定	55	浅田美江
		直接訓練で用いる嚥下誘発手技	56	東 麻呂子
		体位・頭頸部姿勢の調整	57	栗飯原けい子，岡田澄子
		直接訓練で用いる嚥下手技	58	清水充子
		食事場面の直接訓練	59	小島千枝子
	19. 食事介助	食事場面の観察(中止も考えるとき、条件を守る工夫)	60	石崎直彦
		食具、自助具、食事介助方法	61	竹市美加
		認知症、摂食嚥下障害者に対する食事介助	62	小山珠美
		認知症(認知機能障害)がある人のときの食事介助	63	福永美哉
	20. 口腔内装置	食事時の口腔内装置(義歯、PAP、PLP)	64	渡邊 裕，鄭 漢忠
	21. 外科治療	嚥下機能改善手術・誤嚥防止手術	65	津田豪太
摂食嚥下障害患者の栄養 (第5分野)	22. 臨床栄養の基礎	栄養療法の基礎	66	稲下 淳
		栄養スクリーニング・栄養アセスメント	67	小城明子
		サルコペニア	68	若林秀隆
		リハビリテーション栄養	69	若林秀隆
		障害者・高齢者の栄養管理	70	近藤国嗣
	23. 経管栄養法	経管栄養の適応・種類と特徴・合併症	71	瀬田 拓
		具体的方法：経鼻経管栄養法、間欠的経管栄養法、胃瘻栄養	72	藤島一郎，田中直美
	24. 食物形態の調整	食物特性・形態(食物物性の調整)	73	高ībn智子
		増粘剤の使用方法	74	三鬼麗人
		嚥下調整食	75	中尾真理，稲下 淳
		調理器具	76	江頭文江
小児の摂食嚥下障害 (第6分野)	25. 総論	小児の摂食嚥下リハビリテーションの特殊性、障害の分類と特徴	77	弘中祥司
		摂食嚥下の発達と障害	78	弘中祥司
	26. 原因疾患	構造の異常	79	舘村 卓
		機能の異常	80	田角 勝，弘中祥司
	27. 小児への対応	評価・介入	81	綾野理加
		小児に対する画像検査の適応と実際	82	大久保真衣
		栄養管理	83	近藤和泉

xiv

§1 総論

第1分野　摂食嚥下リハビリテーションの全体像
1—総　論

1 リハビリテーション医学総論

Lecturer ▶ 才藤栄一

藤田学園最高顧問
藤田医科大学教授

学習目標 Learning Goals

- リハビリテーション医学の考え方を理解する
- 障害への介入法を理解する
- システムという考え方を理解する
- 活動−機能−構造連関と治療的学習を理解する
- チームアプローチを理解する

1 はじめに

▶ Chapter 1　　はじめに → （eラーニング ▶ スライド1, 2）

　医療のなかでユニークな位置を占めるリハビリテーション医学は「活動の医学」である[1]．活動は生存を生活につなぐ鍵となる．

　長寿社会では，多くの人々が疾病や外傷によって生じる生活上の問題，すなわち，障害（disablement）を抱えながら生きている．長命は，人の幸福の必要条件であっても十分条件ではない．人生を快適に，尊厳をもってその最終ステージを迎えてこそ，長生きの甲斐があるといえるだろう．たとえば，摂食嚥下障害のある高齢者に対し，長期間経鼻経管栄養を用い，自己抜去予防のために拘束するというような方法は不適切であろう．

　快適な生活を保証するためには障害への適切な対処が要点となり，その対処によって長命は幸福に結びつくことになる．リハビリテーション医学は，医療のなかで活動と障害を扱うほぼ唯一の治療体系であり，長寿社会に必須のインフラストラクチャーである．

　この章では，リハビリテーション医学の基本的考え方を解説する．なお，本章では科学としての医学とその社会的実践である医療を区別せずに，一括してリハビリテーション医学と呼ぶ．また，話を以下の四つの項目に沿って進めていく．

① 活動医学とその汎用性
② 活動と障害の階層的理解とシステム的解決
③ 活動管理
④ 活動介入

2 活動医学とその汎用性～臓器，病期

まず，リハビリテーションという用語について簡単に説明し，その汎用性について記す．

▶Chapter 2 リハビリテーションという用語について（図1）
→（eラーニング▶スライド4）

リハビリテーション（rehabilitation）という用語の「re」は recycle の re と同様で，「again（再び）」の意である．また，ラテン語の「habilis」は，h をとるとわかるとおり「able（できる）」の意味である．つまり，合わせて「to become able again：再びできるようになること」を意味する．

欧米では「社会復帰」を意味する社会学的用語としても使用されるが，日本ではおもに医学・医療の用語として使用されている．

ちなみに漢字を使う国々をみると，中国では「康复（カンフー）」，台湾では「復健」，韓国では現在は漢字を使っていないが「再活」と表現していた．日本では漢字訳を創らずに片仮名でそのまま使っているが，もし訳するのであれば個人的には韓国の再活が適切かと思っている．

▶Chapter 2 の確認事項 ▶eラーニング スライド4 対応

1 リハビリテーション＝再びできるようになること

▶Chapter 3 リハビリテーション医学の特徴（図2）→（eラーニング▶スライド5）

リハビリテーション医学（rehabilitation medicine）は，生活の問題，つまり活動障害（activity disorder）を扱う．生存から生活へ，恒常性から活動性へ，そして，病理を超えてヒト全体をシステムとして眺め，対応していく．

生存確保の医学的方法論が生活確保に直結しないことは，容易に理解できると思う．生存には恒常性（homeostasis）が重要となるが，生活の課題を解くには活動性（activity）という，生活をなす行動，行為，動作，運動，そして，認知，判断などの動物機能が鍵となる．

また，病理的解決に拘らない「システムとしての解決」という実用的な考え方は，慢性疾患や後遺症のみられる病態に対して有用である．

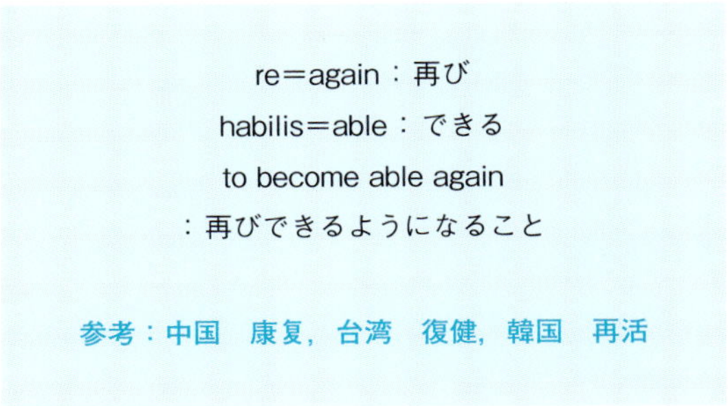

図1　リハビリテーション（rehabilitation）

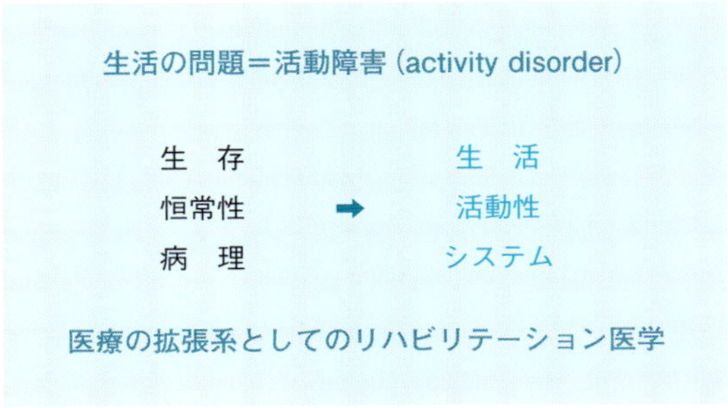

図2　リハビリテーション医学

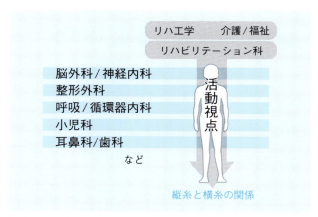

図3 リハビリテーション科と関連各科
全身臓器を活動視点で扱う．

これらの特徴をもつリハビリテーション医学は，従前の医療の拡張系として，生存を生活へとつなぐ重要な役割を担う．

▶ Chapter 3の確認事項 ▶ eラーニング スライド5対応

1. リハビリテーション医学の特徴＝活動障害の改善

Chapter 4　リハビリテーション科と関連各科 (図3) → (eラーニング ▶ スライド6)

リハビリテーション医学の対応範囲は，活動という視点で全身臓器系を跨ぐ．関連臓器科の診療とは，織物の「縦糸と横糸」のような関係となり，リハビリテーション科が活動視点という縦糸を通すことで，患者に優しいセーフティーネットを編む．

活動を支えるおもな関連臓器系は，①神経-筋肉-感覚器系，②骨-関節-皮膚系，③心-肺-血管系，④消化器-泌尿器系（摂食-排泄系）などだが，加えて，発達や老化の問題も活動に大きな関係を有し，小児科や老年科とも密接な関連性をもつ．

また，医療の進歩による生存性の向上とともにその範囲は拡大し，癌患者への対応など新たな領域も生まれている．摂食嚥下への対応も比較的新しい領域である．

▶ Chapter 4の確認事項 ▶ eラーニング スライド6対応

1. 医学・医療の横糸と縦糸

Chapter 5　リハビリテーション科と医療時期 (図4) → (eラーニング ▶ スライド7)

リハビリテーション医学は全病期，つまり，あらゆる医療時期を跨いで関与する．回復期といわれる亜急性期はもちろん，活動を用いた活動視点での介入は，慢性期や終末期でも患者の生活改善に役立つ．

一般に，急性期は最も重要な医療時期であり，日々刻々と変わる患者状態に対して強力な医療行為が

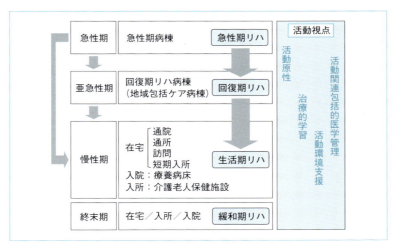

図4　リハビリテーション科と医療時期（石川，一部改変）
全病期を活動視点で扱う．

行われる．その際，ともすれば「安静」に重点が置かれがちになる医療状況において，不動・廃用を防ぎ，排泄や摂食など生活の基本行為を確保して離床を促す「活動文化の形成」を担うのがリハビリテーション医学である．

疾患の性質によって，単相性，進行性，再燃性など，各病期の様相は異なるが，いずれの場合でもリハビリテーション医学は活動（生活）という視点で介入する．

 Chapter 5の確認事項 ▶ eラーニング スライド7対応

1　リハビリテーション医学＝全病期を活動視点で扱う医学

3　活動と障害の階層的理解とシステム的解決

次に，活動と障害の階層性について触れ，また，システムとしての解決という考え方を簡単に紹介する．

▶ Chapter 6　リハビリテーション医学の視座 ── 障害をもつ患者にとって生存は生活に直結しない（図5） → (eラーニング ▶ スライド9)

医療によって病理的問題を食い止め，救命を達成しても，障害をもつ患者がそのまま生活ができるようになり，社会復帰できるわけではない．特に，後遺症のみられる疾患や慢性疾患では，残存し，継続する病理的状態の結果として生じる活動の問題（活動障害）が社会復帰を妨げる．つまり，生存を生活につなげるためには，それらの間に活動への介入という「橋」を架ける必要がある．

 Chapter 6の確認事項 ▶ eラーニング スライド9対応

1　障害をもつ患者にとっての生存と生活

図5　リハビリテーション医学の視座①
(Disablement model modified from Nagi SZ, 1976)
障害をもつ患者にとって生存は生活に直結しない.

図6　リハビリテーション医学の視座②
(Disablement model modified from Nagi SZ, 1976)
患者を対象とする活動障害の階層的概観(例).

▶ Chapter 7　リハビリテーション医学の視座 —— 患者を対象とする活動障害の階層的概観（図6）→ (eラーニング ▶ スライド10)

　生存を生活へとつなげる「活動という橋」には段階があり，この段階は階層（hierarchy）と呼ばれる．要素間の関係性が重要となる「まとまり」はシステム（系）と呼ばれるが，このうち，諸要素が段階的な構造関係をもつものが階層的システム（hierarchical system）である．

　階層的システムの代表例は，素粒子-原子-分子-物質などの物質世界の段階的構造である．活動，特にその陰性側面である障害（disablement：活動障害の総称）も階層構造で考えると理解しやすく，病態生理-機能障害-機能的制限-能力低下という階層（Nagiの障害モデル，1976ほか）が想定できる．

　この4段階は，WHOのICIDHモデル（International Classification of Impairments, Disabilities, and Handicaps, 1980）においては，疾患-機能障害-能力低下-社会的不利と呼ばれている．この二つのモデルで「能力低下」という用語の意味合いが異なる点には注意する．

　また，障害という陰性表現ではなく，生活機能という中性表現で構造化した分類にWHOのICF（International Classification of Functioning, Disability and Health, 2001）がある．ただし，課題を医療という文脈で眺める場合，階層性が不明瞭であるという欠点があるため，ここでは触れない．

　Nagiのモデルで，病態生理（active pathology）はほぼ原疾患を指し，機能障害（impairment）は臓器または機能系の問題，機能的制限（functional limitation）は個体全体の問題，能力低下（disability）は社会的役割に沿った行為の問題を意味する[2]．

　嚥下障害患者を例に簡単に説明すると，たとえば，

・病態生理：脳幹梗塞，機能障害：摂食嚥下障害，機能的制限：食事困難，能力低下：ADL困難

のようになる．機能的制限と能力低下の意味の差は，やや理解しにくく，個人単位で行う同様の行為として眺めると，訓練室の一定の環境で行う「基本動作」は機能的制限で，一方，普段実際に行っている「日常生活活動（ADL）」は能力低下になると大まかに述べておく．

　階層的システムでは，階層間に一定の因果関係（図6の左階層が右階層の原因因子になる）を想定でき，また，その関係性には隣接したもの同士が強く，離れたもの同士は弱いという特徴がある（病態生理は機能障害と強い関係性を有するものの，機能的制限との関係性は低くなるなど）．

　加えて，「活動階層間の因果関係」には逆方向性も存在する．筆者は，この現象を「活動の原因性（活動原性：actigenicity）」と呼んでいる．つまり，屋外歩行ができずに家に閉じこもっている実態が基本動作としての歩行能力を低下させるといった「能力低下が機能的制限を増悪させる現象」，歩行能力が

低下したために歩行しない実態によって筋力低下などの廃用症候群を来すといった「機能的制限がもたらす二次的機能障害」，筋不使用という廃用実態が耐糖能異常を悪化させる「機能障害がもたらす病態生理問題」などがその例である．

また，各階層間は厳密な1対1関係にはなく，それぞれの階層レベルに直接介入可能であることも理解しておくことが必要である．たとえば，右片麻痺という機能障害の結果生じる書字動作障害という機能的制限（あるいは能力低下）は，麻痺が重篤なまま残っても利き手交換練習によって左手での書字が可能となれば解消される（同じ機能を実現する手段に冗長性があるため）．この各階層それぞれへの独自介入可能性が，リハビリテーション医学の大きな有用性を生んでいる．

以上は，医学モデルあるいは医学社会モデルと呼ばれている．実際の障害構造を考える場合，以上の基本経路のほかに種々の影響因子を考える必要があるが，ここでは触れない．

いずれにせよリハビリテーション医学は，患者が活動の階層という長い橋を渡って生活を再建し，社会復帰することを支援する医療であるといえる．

▶ Chapter 7 の確認事項 ▶ e ラーニング スライド 10 対応

1 障害の階層構造とリハビリテーション医学

▶ Chapter 8　リハビリテーション医学の基本課題（表1）→（e ラーニング ▶ スライド11）

障害階層の右端にある能力低下の基本形が，日常生活活動（ADL：activities of daily living）と呼ばれる行為課題群で，リハビリテーション医学の基本課題群と呼んでよいだろう．

その内容として，運動領域の操作（セルフケア），移動，摂食・排泄，そして認知領域のコミュニケーション，社会的認知がある．その評価の代表例が，機能的自立度評価法（FIM：Functional Independence Measure, 1987）である[3]．

ADLは，多くの人にとって共通の価値を有し，生活の基本となる項目であって，医療保険のリハビリテーション料はその改善を目標として掲げている．ADLが損なわれる場合，介護者の負担増加につながるという意味でも重要である．このうち，特に摂食は，窒息／肺炎，脱水／低栄養という医学的リスクはもちろん，ヒトに欠かせない悦びにも直結する必須要素である．

▶ Chapter 8 の確認事項 ▶ e ラーニング スライド 11 対応

1 日常生活活動（ADL）＝リハビリテーション医学の基本課題群

表1　リハビリテーション医学の基本課題

運動領域	・操作（セルフケア） ・移動 ・摂食，排泄
認知領域	・コミュニケーション ・社会的認知
価値の基本性	cf) ADL (activities of daily living)，介護負担度 cf) リハビリテーション料の概要

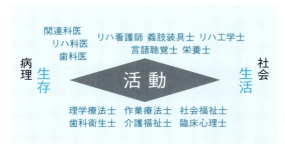

図7　リハビリテーションチーム
(Disablement model modified from Nagi SZ, 1976)
活動医学の長い橋を多職種チームでつなぐ.

Chapter 9　リハビリテーションチーム ── 活動医学の長い橋を多職種チームでつなぐ (図7) → (eラーニング ▶ スライド12)

　活動の長い橋は，守備範囲が広く多面的であるため単一の専門職では対応できない．したがって，その対応形態はチームワークになる[1]．特に，療法士 (therapist) と呼ばれる職種は，新行動を可能にする練習 (訓練) を担当するコーチとしての役割がことさら重要であるために生まれた．

　通常のリハビリテーション医療では，リハビリテーション科医 (physiatrist)，リハビリテーション看護師 (rehabilitation nurse)，理学療法士 (physical therapist)，作業療法士 (occupational therapist)，言語聴覚士 (speech therapist)，義肢装具士 (prosthetist & orthotist)，リハビリテーション工学士 (rehabilitation engineer)，臨床心理士 (clinical psychologist)，社会福祉士 (social worker)，介護福祉士 (care worker) などが関与する．また，摂食嚥下リハビリテーションでは，加えて，歯科医師 (dentist)，歯科衛生士 (dental hygienist)，栄養士 (dietitian) などが参加する．

Chapter 9の確認事項 ▶ eラーニング スライド12対応

1. リハビリテーションチームと参加職種

Chapter 10　摂食嚥下リハビリテーションチームの形態 (図8)
→ (eラーニング ▶ スライド13)

　チームの形態について触れる．

　専門職チームワークを円滑に運営するには，各メンバーの自律性 (専門家役割) と課題の分業というあまり相性のよくない二つの事柄に折り合いをつける必要がある．この折り合い様式の特徴から，いくつかの専門職チーム形態がある．

　ここではまず，multidisciplinary, interdisciplinary, transdisciplinary という三つを区別する．discipline は「専門分野，学科」であり，disciplinary は「専門分野の」という意味をもつ．なお，これら専門職チームの名称 (特に和訳語) とその意味するところは使用者によって一定でない点に注意してもらいたい．

　Multidisciplinary team あるいは interdisciplinary team では，医療者の個々の役割・機能がある程度決まっている．両者の違いは，前者が個々の医療者間の機能的連絡が少ないのに対し，後者ではしっかりした機能的連絡が存在する点にある．Multidisciplinary team は，総合病院の各科連携のようなもの

図8 摂食嚥下リハビリテーションチームの形態
各種の「学際チーム」．

で，折り合いのための課題はさほど難しくない．一方，通常のリハビリテーションチームはinterdisciplinary teamという，より密接な連携と高い効率を要するチームワークになる．その場合，ただ多職種が存在すればできるわけではなく，メンバー間で事前の役割明瞭化や定期的コミュニケーション設定など，その構造・機能の維持に十分な配慮が必要である．

Transdisciplinary teamは「医療者が状況に応じてその役割を変化させる」という比較的新しい考え方を基本とし，そのチームワークは専門家の役割という点で前二者とはやや異なる．患者の必要性がまず存在し，その必要性をそこに存在する医療者で分担する（図8は，歯科医師，歯科衛生士，看護師，家族で対応する例）．したがって，そのチーム構成の差によって各専門職の実際の役割が変わってくる．

摂食嚥下リハビリテーションの歴史は浅く，そのチームメンバーの専門性へのコンセンサスは確定していない．さらに，臨床場面の多様性，臨床病期の多様性から，メンバーには柔軟な対応が要求される．そのため，各メンバーが各職種，役割の核となる知識・技能の範囲を超えて幅広い共通の基本的機能を有する必要がある．

日本摂食嚥下リハビリテーション学会は，急性期病院から施設や在宅まで広い範囲を視野に入れた摂食嚥下障害患者に対する効果的なtransdisciplinary teamworkの実現に資するために創られた学会である．

▶ Chapter 10の確認事項 ▶ eラーニング スライド13対応

1 Transdisciplinary teamと摂食嚥下リハビリテーション

▶ Chapter 11　システムとしての解決 → (eラーニング ▶ スライド14)

システムとしての解決という方法論に触れておく．

活動障害への対応という特徴は，従来医療の病理指向的解決法とは異なる視点をもたらした．リハビリテーション医学は，病態の解決のみならず，障害が残存したなかでもシステムとして解決を目指すという，極めて柔軟で実用的な対応姿勢を有する．

ここでいうシステムとは，重要な要素が一定数あり，かつその要素間に関連性があるような系を指す．つまり，障害を抱えた人を「障害部位の他に健常な部位を有し，また，人的・物的環境の中に存在している系（システム）」として捉える．

このような捉え方によって，従来の医療によって改善できない病理的状態や機能的問題が残存しても，活動のもつ冗長性（代替できる他の方法がある）という特徴を利用しながら，個人の健常部分を活用し，道具や環境を使用して，活動を学習し，個人としてあるいは環境を含めた個人の生活として，よりよい状態の実現を目指すことができる．

たとえば，対麻痺のある人のリハビリテーションは，「手を足に」もすること，つまり，従来足が行っていた歩行や移乗の機能を手にもたらすこと（車いすを漕ぐ，プッシュアップするなど）によって達成される．対麻痺があっても，車いすとプッシュアップで移動性を確保し，自立した生活ができるのである．

▶ Chapter 11の確認事項 ▶ eラーニング スライド14対応

1 システム的解決の意味，考え方

▶ Chapter 12　システムとしての解決とは（図9）→（eラーニング ▶ スライド15）

どうやってシステムとして有能になるのかを，「草野球チーム」のたとえ話を用いて解説する．あなたはある草野球チームの監督である．このチームには下手な遊撃手がいる．彼はショートしかやりたくないという．チームには選手が9人しかいないので，交替はできない．どうしたらよいだろうか．もちろん，ここでこの遊撃手を他の有能な選手と置き換えることができればチームは強くなりそうだが，それはできない．

① まずは，遊撃手を特訓で鍛える（機能障害への対応）．けれども，もともと下手な人であまりうまくはならないし，特訓し過ぎで辞められたら元も子もない．
② よって，守備体制を調整する．二塁手と三塁手をショート寄りにシフトさせて守らせよう（機能的制限への対応：機能障害に適合した活動様式の設定と健常部の利用）．
③ そして，大事なことはこのシフトで実際に練習することである．練習によってメンバー間の連携がうまくなって，チームは全体としてある程度戦うことができるようになる（機能的制限への対応：新活動様式の学習）．
④ さらに，試合では家族を総動員して応援団を結成し，相手チームにプレッシャーをかける（能力低下への環境対応）．

このようにして，この草野球チームは抱える問題を乗り切り，勝利が期待できるようになる．
実際の臨床に当てはめてみる．Wallenberg患者の摂食嚥下リハビリテーションを考えてみよう．

① 障害があって開大しにくい食道入口部をバルーン拡張する（機能障害への対応）．
② また，咽頭の健常部をこれまで以上に活用するため，嚥下時に頭部回旋を採用するという新しいシフトを構築する（機能的制限への対応：機能障害にみあった活動様式の設定と健常部の利用）．
③ この新しい嚥下様式の確立のために，間接練習（間接訓練）と直接練習（直接訓練）を行う（機能的制限への対応：新活動様式の学習）．
④ また，適切な食物物性をみつけ，家族には嚥下調整食の作り方を覚えてもらう（能力低下への環境対応）．

※用語の注意：ここでは，前述（▶ Chapter 7）のNagiの階層を用いている．もし，WHOのICIDHで表現すれば，機能障害（Nagi：機能障害），能力低下（Nagi：機能的制限），社会的不利（Nagi：能力低下）となる．

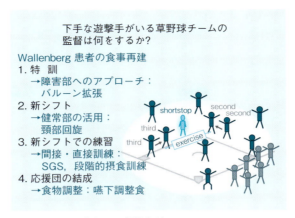

図9　システムとしての解決とは

　以上のようにして，患者は自宅でも食事摂取ができるようになる．これがシステムとしての解決である．もちろんこの過程を支えるために，並行して原疾患の治療，合併症の予防，病態に応じた医学的管理が行われる．ごく単純に表現すれば，喉に不自由があっても，食べるという課題を可能するための総合トレーニングがリハビリテーション医学の重要な方法論である．

▶ Chapter 12 の確認事項 ▶ eラーニング スライド 15 対応

1　リハビリテーション医学におけるシステム的解決

 4　活動管理

　活動障害を有する患者への対処では，介入の全体計画を立てながら，固有の医学的問題に対応する．

▶ Chapter 13　**治療計画**（表2，図10）→（eラーニング ▶ スライド17）

　まず全体像を把握し，治療計画を立てる．
　リハビリテーション医学は，臓器対応にとどまらず患者個人全体に対する包括的医療である．そのために現状の多面的な問題点の整理が必要で，たとえば，問題志向型システム（POS：problem oriented system）が役立つことになる．障害階層別や緊急度・重要度別に問題点リストを作って解決方法を探る．
　また，原疾患の程度や特徴，合併症・併存症の有無，個人／社会履歴などを把握する．生命帰結や機能帰結など帰結の予測（予後：prognosis）が計画全体を左右する．ただし，機能帰結は介入に依存して違ったものになりやすく，簡単に「自然歴」とは表現できないため注意が必要である．
　これらの計画をもとに，患者や家族に介入の流れを説明して方向づけをする．患者や家族の意欲や努力は介入成功の鍵になるので，説明には大筋の理解に役立つ「物語性」が大切である．また，チームワークは分業であるため，メンバーの役割と行動について互いに理解，納得している必要があり，そのためにも治療計画の共有が大切になる．

表2　治療計画（現状整理，将来見通し，方向づけ）

問題点整理	POS，原疾患，合併症，併存症，個人／社会履歴
帰結予測	生命帰結：自然歴 機能帰結：自然歴？
方向づけ，説明性，物語	患者：要時間／努力 チーム：要分業

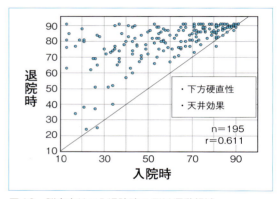

図10　脳卒中リハ入退院時の FIM 運動領域

▶ Chapter 13 の確認事項 ▶ e ラーニング スライド17対応

1 リハビリテーション医学の包括性と治療計画

▶ Chapter 14　包括的医学管理────活動関連（図11，表3）→（e ラーニング▶スライド18）

　包括的医学管理には，活動障害を来す臓器系疾患の一般的管理はもちろん，麻痺・痙縮，拘縮・変形・疼痛，排尿・排便障害，摂食嚥下障害，抑うつ，社会心理課題などの活動関連の医学的管理が含まれる．不動・廃用を予防し，食・排泄を確保し，麻痺軽減や動作獲得を支援して，生活リズムを整える．
　リハビリテーションチームは，医療場面全体に「活動文化」を埋め込む役割も担う．

▶ Chapter 14 の確認事項 ▶ e ラーニング スライド18対応

1 包括的医学管理とリハビリテーション医学

▶ Chapter 15　不動と廃用：動かないことによる二つの問題（表4，図12）→（e ラーニング▶スライド19）

　安静臥床によって動かないと，原疾病によらずともそれだけで不動や廃用という問題が生じる．
　動かない問題を不動（immobilization）という．手術後の重要な合併症である深部静脈血栓症は，下肢筋活動の欠如による静脈の鬱滞が主因である．沈下性肺炎も仰臥位を続けることで生じる合併症である．急性期からヒトの身体を物理的に動かすことが，その予防として必要である．
　動かないことが直接もたらす問題が不動であるのに対し，動かないことによって生じる生体の変化が廃用（disuse）である．たとえば，筋力は個人が日常の活動で使用する平均的筋力によって調節されている．したがって，日常の活動強度が減じると筋力は低下する．これが廃用性筋力低下（disuse muscle weakness）である．
　動かないことが直接もたらす不動は短時間でも生じるのに対し，生体の変化によって生じる廃用は，多少時間がかかる過程である．

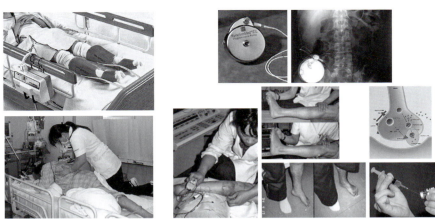

図11 包括的医学管理—活動関連
医療場面に活動文化を埋め込む疾病／活動帰結予測.

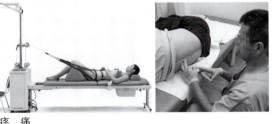

表3 活動の総合支援科

- ・不動／廃用予防
- ・離床促進
- ・麻痺管理
- ・食／排泄確保
- ・疼痛管理
- ・生活リズム確保
- ・抑うつ
- ・社会心理課題

Chapter 15 の確認事項 ▶ e ラーニング スライド 19 対応

1 不動と廃用

表4　不動と廃用（immobilization & disuse）：動かないことによる二つの問題

不動という合併症（≦1日）	・深部静脈血栓症 ・沈下性肺炎 ・褥瘡　etc…
廃用という合併症（日〜週〜月） （デコンディショニング／低活動）	・筋萎縮 ・関節拘縮 ・骨萎縮　etc…

臓器を超える活動ルール
安静は無害ではない

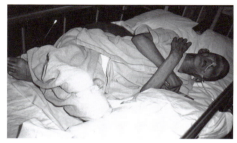

図12　不動・廃用症候群

表5　不動・廃用症候群（immobilization, disuse）

- 筋力低下，筋萎縮
- 関節拘縮，変形
- 骨粗鬆症
- 最大酸素摂取量低下
- 頻脈，起立性低血圧
- 沈下性肺炎
- 静脈血栓症
- 尿路系結石
- 褥瘡
- 便秘
- 消化管絨毛萎縮
- 皮膚萎縮，嵌入爪
- 耐糖能異常
- 意識低下
- 精神活動性低下

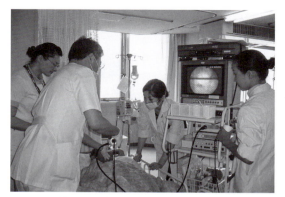

図13　急性期病棟での嚥下回診（藤田医科大学病院, since Sep 2006）
医療場面に活動文化を埋め込む．

▶ Chapter 16　**不動・廃用症候群**（表5）→（eラーニング▶スライド20）

　これらの二次的合併症が不動・廃用症候群である．原疾病によらずとも，多くの動物機能に支障を来す．**表5**のうち，色文字は不動，黒文字は廃用と理解できるが，厳密なものではない．
　廃用は悪循環に陥りやすい問題である．また，一度生じた廃用を治療するには多大な時間を要する．安静は有害であることを十分認識して，安静を必要最小限（量的，時間的，部位的）にとどめる対応が大切である．たとえば，骨折に対する「局所の安静」の必要性は「全身の安静」と明確に区別されなければならない．

▶ Chapter 16の確認事項 ▶ eラーニング スライド20対応

1　不動・廃用症候群，局所の安静と全身の安静

▶ Chapter 17　**急性期病棟での嚥下回診**（図13）→（eラーニング▶スライド21）

　急性期の病棟では，原疾患治療や医学的安定性の確保に注力し，その背景にある患者の活動については手薄になりやすい．食べることは，患者の生活を保証する重要課題だが，その活動に伴う誤嚥や窒息などの合併症が気になり，後回しにされやすいものでもある．摂食嚥下チームが病棟看護師と連携し

て，摂食嚥下障害が疑われる患者を病棟まで出向いて回診する体制は，急性期病棟を支援し，活動文化を定着させる一つの方法である．

▶ **Chapter 17 の確認事項** ▶ e ラーニング スライド 21 対応

1 急性期病棟回診と活動文化の定着

5 活動介入

リハビリテーション医学が行う活動介入について，活動機能構造連関，活動支援，治療的学習という三つの方法論と，中心的介入であり，縮図でもある練習（訓練）について説明する．

▶ **Chapter 18**　**活動機能構造連関** (図 14) → (e ラーニング ▶ スライド 23)

活動は，ヒトの機能や構造に大きな影響を及ぼす．「活動は機能や構造と強い関係性を有する」という原則を活動機能構造連関という．リハビリテーション医学は，活動に注目し，活動のもつこの関係性を利用して，患者を治療する．

個人の最大筋力は，日常の活動で使用する平均的筋力の約3～4倍になるように調節されている．換言すると，日常の活動強度は，最大筋力（最大随意収縮力）の2～3割にあたり，それを超える活動は筋力を増やし，それを下まわる活動状態では筋力が減る．この現象は，筋収縮活動によって誘導される筋線維でのタンパク合成・分解の調整や，運動神経での発火閾値の変化によって実現するものである．

したがって，日常の活動を制限すると最大筋力の低下，つまり廃用性筋力低下（disuse muscle weakness）が生じる．一方，通常の活動強度より大きな負荷を与えると，筋力は増加する．この筋力増大の原則を，過負荷の法則（overload principle）という．たとえば，最大随意収縮力の60％以上の負荷を与

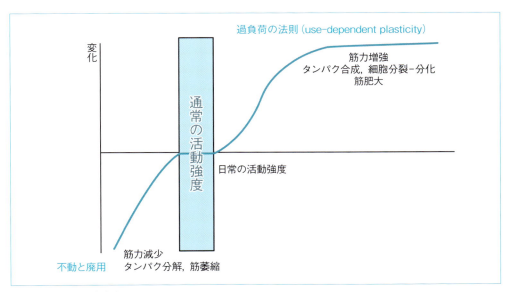

図 14　活動機能構造連関
活動と機能／構造の強い関係性．

表6　活動依存要素

- 筋力／筋持久力
- 可動域
- 体力／耐久性
- 感覚／知覚
- 協調性
- 知　能
- 血管機能
- 骨格強度
- 皮膚／爪耐性
- 腸管機能　etc

えると最大筋力が増加する．筋力増強練習（muscle strengthening exercise）はこの連関を利用した治療である．

活動機能構造連関は，筋力のみならず，種々の臓器，機能に普遍的にみられる関係性（活動原性）である．

これら活動依存要素として，筋力／筋持久力，可動域，体力／耐久性，感覚／知覚，協調性，知能，血管機能，骨格強度，皮膚／爪耐性，腸管機能などがある（**表6**）．筆者らは，この「一般的な経済原則」に反する「使うと増える」という現象を，"rehabilitation magic" と呼んでいる．

▶ Chapter 18の確認事項 ▶ eラーニング スライド23対応

1 活動機能構造連関と過負荷の法則

Chapter 19　活動機能構造連関を使って鍛える → （eラーニング ▶ スライド24）

活動が機能と構造を変えるという法則は，臓器／組織横断的現象（活動原性）である．リハビリテーション医学は，この法則を利用して，患者に必要な機能を鍛え向上させる．

代表例は，筋力増強，筋持久力向上，関節可動域拡大，巧緻性向上，体力向上，平衡機能向上などを対象にした要素練習（後述）である．

▶ Chapter 19の確認事項 ▶ eラーニング スライド24対応

1 活動機能構造連関と活動原性

Chapter 20　人的／社会的／工学的支援

1）人的／社会的／工学的支援（図15）→ （eラーニング ▶ スライド25）

システムとしての解決を目指すリハビリテーション医学では，その人本人だけでなく「まわりを変えること」によってもできることを増やす支援システムを利用する．つまり，人，社会，道具，環境を味方にして難課題を乗り切る．

二つの柱がある．一つは人的／社会的支援，もう一つは工学的支援である．人的支援，社会的支援は有力な手段である．療法士による練習の支援は普遍的に行われる方法であるが，リハビリテーション看護師，社会福祉士，心理師による家族や介助者などとの関係性調整や社会制度の利用促進も重要な環境調整の手段となる．

人は道具を使う動物である．日常生活のなかで使う道具は2万個もある．患者や障害者用にデザインされた道具は，その能力の拡大に役立つ．

人的／社会的支援

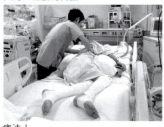
療法士

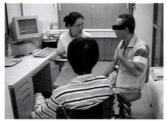
リハビリ看護

ソーシャルワーク

工学的支援

リハビリ工学

義肢装具

家屋改造

図15 人的／社会的／工学的支援
人／社会／道具／環境を味方にして難課題を乗り切る．

　練習においてその課題実行を可能にする道具（練習支援）は，治療的学習（後述）を促進する．また，練習によって克服できない問題に対しても，道具や環境によって課題実現を可能にする．義肢，装具，車いす，座位保持装置，杖・歩行器，自助具，環境制御装置，機能的電気刺激法などがその例である．義肢・装具は，臨床において広く使用されている補助装置である．また，家屋改造やバリアフリー環境の整備も役立つ．そのほか，感覚系に対する眼鏡やバイオフィードバック法，認知系に対する記憶ノートなど，mental bracingと呼ばれる手段もある．
　摂食嚥下障害では，舌接触補助床などの歯科的装置，間歇的経管法，嚥下調整食といった手法も支援工学といえる．

2）歯科装置，嚥下調整食・剤形，嚥下関連器具・機器 （図16） → （eラーニング ▶ スライド26）

　歯科的装置の舌接触補助床（palatal augmentation prosthesis；PAP）は，口蓋位置を下げて，運動障害のある舌が口蓋と対峙するのを助ける．
　食物物性によってその摂食嚥下課題の難易度を調整できるので，障害にあった嚥下調整食や適切な薬剤の剤型などが，練習や日常生活に役立つ．
　また，種々の関連機器が練習過程を支援する．さらに，機能を改善する治療機器や機能を評価する診断機器も効率的リハビリテーションに役立つ．

▶ Chapter 20 の確認事項 ▶ eラーニング スライド25，26対応

1　摂食嚥下リハビリテーションにおける人的／社会的／工学的支援

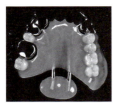
舌接触補助床（PAP）

適正テクスチャー食品

口腔内崩壊錠

咀嚼嚥下適正ゼリー

各種増粘剤

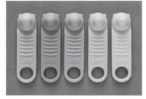
舌圧強化器

磁気刺激装置

嚥下スプーン

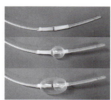
ダブルバルーン

嚥下姿勢調整いす

嚥下造影いす

排痰呼吸訓練器

呼気抵抗負荷器

嚥下筋力訓練器

喉頭挙上計測装置

図 16　歯科装置，嚥下調整食・剤形，嚥下関連器具・機器

▶ Chapter 21　治療的学習 →（eラーニング ▶ スライド27）

　リハビリテーション医学の最大の特徴は，学習を治療に用いる点にある．治療的学習は，練習（訓練）という過程を通して個人の能力を直接変えて機能的制限を改善する．対麻痺者が装具を用いて歩くことができるようになるのは，テニスやピアノを練習してうまくなるのと同じメカニズムである．

　治療的学習には，認知学習（cognitive learning）も含まれるが，ここでは単純化のため，おもに運動学習（motor learning）について説明する．

> Chapter 21 の確認事項 ▶ eラーニング スライド27対応

1 リハビリテーション医学の最大の特徴＝治療的学習

> Chapter 22　**運動学習**（図17）→（eラーニング▶スライド28）

　運動学習は，行動科学的には「経験によって生じる比較的永続的な行動の変化」と表現される．つまり，経験という「活動」の入力によって行動の変化という「活動」の出力を得る過程である[4]．
　ここでいう経験とは練習（訓練）であり，行動の変化とは課題スキルの獲得である．

> Chapter 22 の確認事項 ▶ eラーニング スライド28対応

1 運動学習＝経験（練習，訓練）による行動変化

> Chapter 23　**運動学習とは**（表7）→（eラーニング▶スライド29）

　運動学習によってスキルが導かれる．
　スキル（skill）は，目的をもち，いくつかの運動から構成される行動単位である．スキルは元々備わっている行動ではなく，その能力は学習によって生まれる．スキルを獲得することで，ヒトはいろいろなことを巧みに行うことができるようになる．
　運動学習は，神経系側面からみると手続き記憶の一種とされるが，神経系によってのみもたらされるものではなく，身体の多くの臓器と機能系が関与する過程であり，その本質は，課題特異的な活動で，活動依存要素と環境を目的行動に統合する過程である．

> Chapter 23 の確認事項 ▶ eラーニング スライド29対応

1 運動学習とスキルの関係

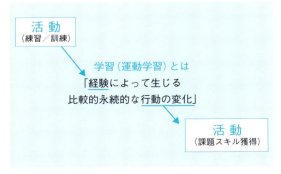

図17　運動学習

表7　運動学習とは

- **スキルを導くこと**
  スキル（skill，熟練行動）：目的をもち，いくつかの運動から構成される行動単位
- 経験が運動を長期的に変える過程
- 神経系側面では手続き記憶の一種
- 基本は課題特異的
  活動依存要素と環境を目的行動に統合

表8 新しいスキルの例

- 義足歩行
- 義手操作
- 片麻痺歩行
- 車いす駆動
- 頸損者の移乗動作
- 片手日常動作
- 利き手交換
- 自己導尿
- Mendelsohn手技
- 喉頭吊り上げ術後嚥下

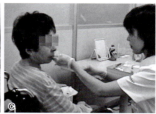

図18 新しいスキルの例
a：片麻痺歩行，b：片手日常動作，c：Mendelsohn手技

Chapter 24　新しいスキルの例（表8）→（eラーニング▶スライド30）

　リハビリテーションの場面では，数多くの新スキルに出会う．その代表例は，義足歩行，片麻痺歩行（図18a），片手日常動作（図18b）などである．摂食嚥下リハビリテーションでは，Mendelsohn手技をはじめとする種々の嚥下手技（図18c），喉頭吊り上げ再建術後の頭部伸展嚥下などがそれになる．
　ポイントは，これらのスキルが障害（disablement）に適合したスキルであり，「健常者用のスキル」ではないということである．したがって，しばしば話題にあがる再学習（relearning）という用語は，多くの場合，的外れな表現といえるだろう．練習（訓練）は，スキルの獲得にその主眼があるといえる．

Chapter 24の確認事項 ▶ eラーニング スライド30対応

1. 練習（訓練）とスキル

Chapter 25　運動学習の主たる変数（図19）→（eラーニング▶スライド31）

　運動学習を考える際の主要変数として，転移性，動機づけ，行動変化，保持・応用がある．また，行動変化に重要な変数として，フィードバック，練習量，難易度がある．
　具体的な運動学習過程については，Chapter 27の「練習／訓練」で触れる．

Chapter 25の確認事項 ▶ eラーニング スライド31対応

1. 運動学習における主要変数
2. 行動変化への重要変数

Chapter 26　リハビリテーション医学の方法（図20）→（eラーニング▶スライド32）

　図20に，以上のリハビリテーション医学の方法論をまとめておく．
　生存を生活に結びつけるため，活動に対する包括的医学的管理のもと，活動機能構造連関という「使うと増える」ルールを用いて構造と機能を鍛え，人的・社会的，工学的支援で「周りを変えること」によって困難な問題を軽減し，治療的学習によって「できないことをできる」ようにして生活のスキル獲

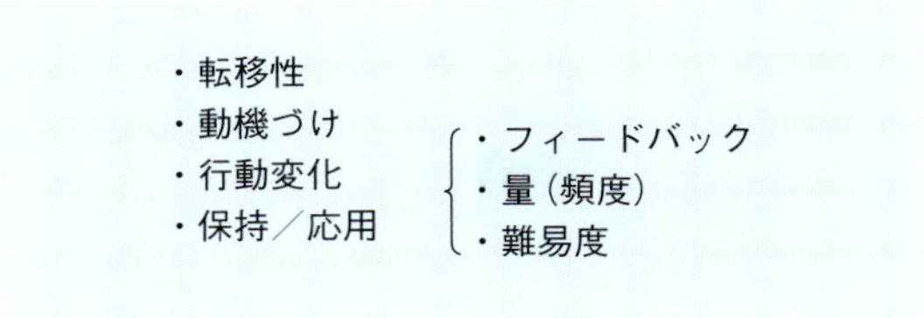

・転移性
・動機づけ
・行動変化
・保持／応用
・フィードバック
・量（頻度）
・難易度

図19　運動学習の主たる変数
(Significantly revised from Schmidt R)

活動機能構造連関
病理
生存
人的／社会的
工学的支援
生活
社会
治療的学習
包括的医学管理

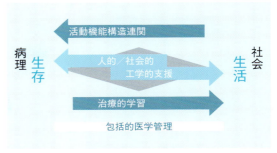

図20　リハビリテーション医学の方法
(Disablement model modified from Nagi SZ, 1976)
包括的医学管理のもと，三つの活動方法論で生活を再建する．

得を目指す．ここで矢印の方向は，おおまかな因果関係方向を指している．右から左への矢印方向，活動の原因性（活動原性）に注意してほしい．

Chapter 26の確認事項 ▶ **eラーニング スライド32対応**

1 リハビリテーション医学と三つの活動方法論

Chapter 27　練習／訓練（図21, 22）→（eラーニング ▶ スライド33，34）

練習（訓練）は，リハビリテーション医学の主たる介入方法であると同時に，また，それ自身がリハビリテーション医学の縮図であって，包括的医学管理のもと，先に述べた三つの方法論を組み合わたものである[5]．活動機能構造連関を利用して活動依存要素を鍛え，人と工学を利用して患者の能力を支援し，治療的学習によって両者を目的行動に統合する．活動を用い，環境の支援を得て，鍛え，学ぶ過程が練習／訓練である．なお，ここで練習（exercise），訓練（training）の区別を厳密なものと考える必要はない．

練習（訓練）は，その対象課題から要素練習と課題練習に分けて考えるとよい．

要素練習は，活動機能構造連関（活動原性）を利用して，筋力，持続力，可動域，協調性など各臓器／各機能系を個別に（あるいは組み合わせながら）鍛えるものである．もちろん，健常部だけでなく障害部への介入も指す．ただし，障害部は健常部ほどtraibnability（訓練可能性）は大きくなく，また，活動負荷の性質もその成否を大きく左右する（たとえば，痙縮の悪化，共収縮の助長など）ので，より一層の注意深さが必要になる．

課題練習は，課題指向的（課題達成を目的とする）練習である．個人として目的課題（基準課題）達成のために，各臓器／各機能系の機能を目的行動に統合し，支援系（人，工学）を併用して課題の難度を調整し，実際に課題を行うことでその能力を高めていく．

Chapter 27の確認事項 ▶ **eラーニング スライド33, 34対応**

1 包括的医学管理と練習／訓練

2 要素練習と課題練習

図21　練習／訓練（exercise/training）①　　　　図22　練習／訓練（exercise/training）②

表9　嚥下練習（swallowing exercises）

	食物	リスク	理解	転移
間接練習（indirect therapy）	−	−	難	小
直接練習（direct therapy）	＋	＋	易	大

▶Chapter 28　嚥下練習（直接練習／間接練習）（表9）→（eラーニング▶スライド35）

　また，摂食嚥下の練習では，一般的に間接練習と直接練習という区別が用いられる．この区分は，練習に食物（食塊；bolus）を用いるか否かで区別し，前者は食物なし，後者は食物ありの練習になる．臨床的には安全性を考慮した，便利な区分である．

　間接練習は，食物を用いないため，誤嚥リスクが低く安全である一方，食べるための練習であるのに食物を使わないため，患者の理解はやや得にくく，また，課題転移性（練習が目的課題達成に役立つ度合い）も大きくない．直接練習は，食物を用いるので，常に誤嚥リスクに配慮する必要がある一方，患者は理解しやすく，課題転移性は高いといえる．

　ちなみに練習の転移性は，基本的に課題特異的である[4]．課題類似性は，スキルの分類や一般運動プログラムで判断する（説明は省略）．嚥下の場合，嚥下運動そのものが最も転移性の高い練習となる．したがって，練習における間接・直接練習の組み合わせを考える際，リスク回避と練習効率のバランスに配慮が必要となる．

▶Chapter 28の確認事項 ▶eラーニング スライド35対応

1. 直接練習／間接練習
2. 課題転移性

▶Chapter 29　摂食嚥下障害患者の課題練習過程（図23）→（eラーニング▶スライド36）

　「嚥下反射惹起性が低下し嚥下中誤嚥を伴う患者」を例に，課題練習過程を考えてみる．必要な要素練習は並行して実施するが，ここでは省略する．

　摂食嚥下練習は，障害をもちながらも安全性の高い食事ができること（基準課題）を目標に行う．そのためにまず，「嚥下というスキルは嚥下運動によって最も練習できる」という課題特異的転移性の原則に従って，ともかく嚥下運動を発現させることを考える．ただし，反射惹起性が低下している患者で

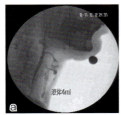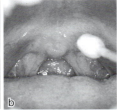

図23 摂食嚥下障害患者の課題練習過程
嚥下反射惹起性が低下し，嚥下中誤嚥を伴う患者の例（a）．
（※要素練習は並行して実施）
1. 嚥下は嚥下運動によって最も練習できる（b）
　→嚥下惹起の促通：thermal tactile stimulation（TTS）
2. 安全性の高い新しい嚥下様式を作る（c）
　→嚥下-呼吸協調性の強化：supraglottic swallow（SGS）
3. 易嚥下性食品（ゼリー）を用いて直接練習（d）
4. 嚥下調整食を開始（段階的摂食練習）（e）

あるためそのままでは困難で，嚥下惹起を促通（facilitation）するために，thermal tactile stimulation（TTS）を利用する．TTSが反射惹起を促通することは，多くの研究によって証明されている．そして，この手技によって惹起された嚥下運動を利用して，患者の病態に適した新しい嚥下法を身につけてもらう．ここでは，supraglottic swallow（SGS）で説明する．SGSは，大きく吸気して保持し，嚥下して，その直後に咳をするという手法である．吸気位を保持することで胸腔内を陽圧にし気道への食物侵入を防ぎ，さらに，嚥下後すぐに咳をすることで喉頭内に侵入しているかもしれない食物を排除し，誤嚥の危険性を減らす．通常の嚥下でも，嚥下中の気道への食物侵入を予防する嚥下時無呼吸というメカニズムが存在する．SGSは，この呼吸と嚥下の協調性を強調したものといえる．つまり，患者にとっては多少不格好ではあっても，より安全性の高い新しい嚥下であるこの手法をマスターしてもらうわけである．さらに，練習を繰り返してある程度この手法を身につけたら，今度は，実際の食物を使った直接練習に移行し，さらに，食塊性状や食物量の難度を少しずつ上げていく段階的摂食練習へ進み，だんだん目標とする基準課題へと近づけていく．また，実際の食物を用いるようになれば，嚥下惹起は起こりやすくなるので，TTSは不要になるだろう．

▶ Chapter 29の確認事項 ▶ eラーニング スライド36対応

1 課題練習，基準課題，課題特異的転移性の原則

Chapter 30　スキル獲得の際の二つのパラドクス（表10）
→（eラーニング ▶ スライド37）

　実際の練習では，最初から目的とする課題を行うことはできない．難しすぎる課題はできないからである．

　運動学習は課題を行うことでできるようになるため，「できないことは行えないので，できるようにならない」のである．これを難易度パラドクスと呼ぶ．

　また，人手や器具を用いて手助けしてできるようにしても，手助けされた部分は実際に行わないので，「補助すれば行わないので，できるようにならない」という問題，補助パラドクスが生じる．補助

表10　スキル獲得の際の二つのパラドクス

難易度パラドクス	できないことは行えないので，できるようにならない
補助パラドクス	補助すれば行わないので，できるようにならない

パラドクスは，歩行練習の際に問題になりやすい事柄だが，嚥下練習では，嚥下運動が外から介助しにくいためあまり目立たない．以下，難易度パラドクスに焦点を当てて説明する．

▶ Chapter 30の確認事項 ▶ eラーニング スライド37対応

1 難易度パラドクスと補助パラドクス

▶ Chapter 31　難易度パラドクス克服のための2方法 →（eラーニング▶スライド38）

「できないことは行えないので，できるようにならない」という過剰難度の問題は，学習曲線（図24）で理解できる．

つまり，学習曲線の左下の部分は，カーブが寝ていて練習量あたりの進歩が遅く，やる気を失いやすい部分である．したがって，難しい目標課題を直接行うのではなく，容易類似課題（より容易，かつ類似性があり転移しやすい課題）を準備して，学習曲線が立ち上がる部分から練習するようにする．このカーブが立ち上がる部分の水準を，限界難度（limit difficulty）と呼ぶ．課題を容易化する方法として，変数調整，部分法，自由度制約，補助がある．このうち，補助については先に述べた補助パラドクスに注意する必要がある．

また，課題を容易にするために，一時的に患者の能力を上げる方法を促通法（広義）と呼ぶ．促通としては，古くから種々のものが運動療法で用いられてきたが，嚥下練習では，TTSやK-point stimulationが有名である．また，一時的に食道入口部を押し広げるballoon拡張も広義には促通と呼べるだろう．いずれにせよ，患者がなんとかできる課題を準備してそれを行うことでスキル獲得を目指す．

▶ Chapter 31の確認事項 ▶ eラーニング スライド38対応

1 難易度パラドクス克服の2方法：課題の容易化，促通
2 類似容易課題と限界難度

▶ Chapter 32　難易度パラドクス克服のための課題乗り継ぎ（図25） →（eラーニング▶スライド39）

そして，これらの2方法を組み合わせた複数の類似課題を用意して，達成が目にみえるようにしながら課題を段階的に乗り継いで行き（段階的練習），最終的に目標スキルに到達する．

その際，安全かつ最短で目標スキルへ到達する経路を設計する必要がある．課題段階を増やしすぎては余計な時間がかかり，一方，少なすぎる課題乗り継ぎでは難しくなり過ぎて，リスクを増やし動機づけを阻害し，課題達成の確率が低下する．練習デザイナーとしての臨床家の腕のみせ所となる．

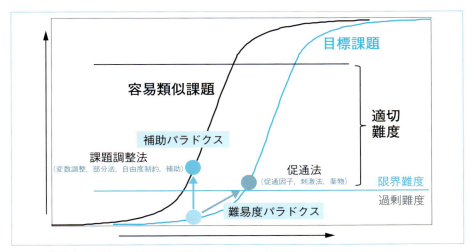

図24　難易度パラドクス克服のための2方法（才藤，2010）

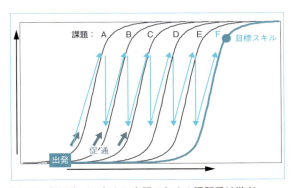

図25　難易度パラドクス克服のための課題乗り継ぎ
　　　（才藤，2010）

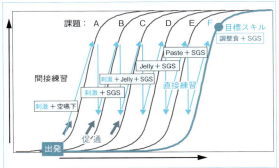

図26　摂食嚥下練習課題シリーズ（才藤，2010）
刺激：感覚刺激　SGS：嚥下パターン　Jelly：ゼリー
Paste：ペースト

Chapter 32 の確認事項 ▶ eラーニング スライド39対応

1 課題乗り継ぎ（段階的練習）と課題設定

Chapter 33　摂食嚥下練習課題シリーズ →（eラーニング ▶ スライド40）

　実際の嚥下練習過程の例を図26で説明する．目標課題は，嚥下調整食をSGSを用いて食べるというものである．

　TTSと空嚥下という安全かつ容易な間接練習から始まり，SGSをマスターしてもらい，できるようになったら最も易しい少量のゼリーを用いた直接練習に移行し，それができるようになったら，その量を増やし，また食塊の性状をアップしていく．そして，調整食の嚥下へと進む．この先，SGSを用いなくても嚥下できるようになる可能性もある．もちろん，このような課題練習のみならず，舌や嚥下関連筋群の筋力増強，可動域，呼吸法などの間接練習は，並行して行う．

　以上のように，たとえ障害があっても，食事が安全に取れるようになる方法を探しだし，それを進め

ることが，摂食嚥下リハビリテーションの臨床である．

▶ Chapter 33の確認事項 ▶ eラーニング スライド40対応

① 嚥下練習課程における課題練習と間接練習

▶ Chapter 34 **まとめ** → (eラーニング▶スライド41)

① リハビリテーション医学は活動医学であり，その適用には臓器汎用性，病期汎用性がある．
② 活動は生存を生活につなぐ架け橋であり，その障害の階層的理解とシステム的解決が，患者の社会復帰を支援する．
③ 活動管理として，問題点を整理し生命/機能の帰結を予測して治療説明性を確保し，時間と努力を要する患者の治療参加を支援する．また，安静を引き起こしやすい医療環境において，不動/廃用を予防し離床を促し，麻痺痙縮，摂食嚥下障害，排泄障害，疼痛，抑うつ，社会心理など活動課題に対処する．
④ 活動介入として，(A)活動機能構造連関を利用し，諸臓器/諸機能の改善を図り，(B)人的/社会的/工学的支援によって患者の活動を支え，(C)治療的学習によって嚥下，歩行，ADLなど具体的課題を達成可能とする．(D)練習(訓練)は，リハビリテーション治療の中心的場面となる．

文　献

1) 才藤栄一：リハビリテーション医学総論．才藤栄一・植田耕一郎監修，摂食嚥下リハビリテーション．第3版，医歯薬出版，東京，2-13，2016．
2) Whiteneck G：Conceptual models of disability：Past, present, and future. Field M, Jette AM, Martin L ed, Workshop on disability in America：A new look, The National Academies Press, Washington DC, 50-66, 2006.
3) 千野直一監訳：FIM；医学的リハビリテーションのための統一的データセット利用の手引き．医学書センター，東京，1991．
4) Schmidt RA, Wrisberg CA：Motor Learning and Performance. 4th ed, Human Kinetics, Champaign, IL, 2008.
5) 才藤栄一，稲本陽子，加賀谷斉，向野雅彦：摂食嚥下練習と運動学習．言語聴覚研究，19(3)：179-190，2022．

第1分野 摂食嚥下リハビリテーションの全体像
1—総　論

2 摂食嚥下のリハビリテーション総論

Lecturer ▶ 椿原彰夫
川崎医療福祉大学学長

学習目標 Learning Goals

- 摂食嚥下とその障害の概念が理解できる
- 摂食嚥下障害の治療目的がわかる
- 急性期・回復期・生活期の流れが把握できる
- 摂食嚥下障害のチーム医療の重要性がわかる

▶ Chapter 1　摂食，嚥下，摂食嚥下障害とは何か？ → (eラーニング▶スライド2)

　「摂食」とは食べる過程のすべてをいい，口のなかに食物を取り込んで（捕食），噛み砕き（咀嚼），飲み込んで胃のなかへ送り込む（嚥下）という一連の動作を意味している．このうち，「嚥下（えんげ）」とは，食物をゴクンと飲み込む反射とそれに引き続く食道の蠕動（ゼンドウ）運動とからなる．食べる過程の全般は「摂食・嚥下」と呼ばれていたが，日本摂食嚥下リハビリテーション学会では2014（平成26）年4月から食べる過程の全般を「摂食嚥下」（ナカマル省略）という用語に統一することとなった．咀嚼や嚥下などの食べる機能の障害は「摂食嚥下障害」と命名されるが，「摂食障害」と呼ばれることはない．それは精神疾患である拒食症や過食症のことが摂食障害と定義されているからである．「摂食嚥下障害」は簡略化して「嚥下障害」とも呼ばれているが，「嚥下」の機能のみが障害されているものを嚥下障害と呼ぶのではないことに注意してほしい．捕食や咀嚼の障害がある患者も含んでいる．英語では「dysphagia」と呼ばれる．

▶ Chapter 1の確認事項 ▶ eラーニング スライド2対応

 「摂食，嚥下」と摂食嚥下障害の定義について理解する．

▶ Chapter 2　摂食嚥下障害と「正常」との境界は存在するのか？
→ (eラーニング▶スライド3)

　健康な人でも高齢になるに従い，飲食に際してむせることがある．しかし，生活にまったく支障のないこのような人々を，「摂食嚥下障害」と診断するようなことはない．健常者に対して嚥下造影を行った研究では，50歳未満の3人に1人，50歳以上の3人に2人で，瞬間的に造影剤入りの液状食品が喉頭前庭のなかに侵入する所見が認められるとの報告がある（図1）．したがって，摂食嚥下障害と「正常」との境界は決して明らかなものではなく，連続的な状態であるといえる．

　臨床的には，摂食嚥下障害が存在する，しないの2群に分類することが重要なのではなく，障害の程度を考慮して治療の必要性を検討し，障害に合わせた治療方法を選択することが重要となる．疫学研究等において，摂食嚥下障害の有無を識別する必要性がある場合には，その定義を明らかにすべきである．一般的に，重症度分類を用いることによって，生活上において問題となる摂食嚥下障害を区分する手法が採られている．

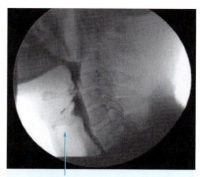

図1 健常者でみられる喉頭侵入　喉頭侵入

> Chapter 2の確認事項 ▶ eラーニング スライド3対応
> 1. 摂食嚥下障害と「正常」の境界を考える．
> 2. 摂食嚥下障害患者に対応する際に重要となるのは，どのようなことかを理解する．

▶ Chapter 3　摂食嚥下障害の治療目的 →（eラーニング ▶ スライド4）

　摂食嚥下リハビリテーションの目的は，障害によって生活に支障をきたしている人々に対して，摂食の喜びを再び与えることにある．まったく摂食できない人に対しては少しでも食べられるように，少ししか摂食できない人には摂食可能な量が増えるように，むせて困る人や誤嚥性肺炎を併発する人には安心して摂食できる方法を与えられるように検討する過程が重要である．摂食嚥下障害を完治させることが，この治療の目的ではない．

　すなわち，治療によって「治った」「治らなかった」と2群分けするものではない．ましてや，食事を全量摂取できなかったからといって，「摂食不可能な障害者」と決めつけることは誤った言動である．たとえ胃瘻造設術を受けた重度の摂食嚥下障害患者であっても，摂食の能力が残されていることを理解し，治療的アプローチを与えるべきである．胃瘻造設術を受けると摂食を禁止すべきと誤解している患者も少なくないので，注意を要する．逆に，摂食嚥下障害患者には，誤嚥という危険性が存在することも忘れてはならない．適切な評価に基づいて安全に摂食できる方法を選択することが不可欠で，生命の危険性を可能な限り回避することは医療者の責任である．

> Chapter 3の確認事項 ▶ eラーニング スライド4対応
> 1. 摂食嚥下障害の治療目的を理解する．

▶ Chapter 4　急性期からのリハビリテーション（図2）
→（eラーニング ▶ スライド5）

　摂食嚥下リハビリテーションは，通常の肢体不自由者に対するリハビリテーションと同様，疾患や外傷の急性期から開始される．早く開始するほど廃用症候群の予防が可能となり，回復期の期間が短縮で

図2　急性期からのリハビリテーション医療提供体系

きる．急性期リハビリテーションの内容は，1) 頻回の口腔ケアと長期間に及ぶ経鼻胃管の不用意な留置の回避によって誤嚥性肺炎を予防すること，2) 早期評価によって摂食可能か不可能か，安全に摂食可能な食品は何か，を決定すること，3) 間接訓練によって摂食嚥下関連器官の廃用を予防すること，4) 早期離床を促進して全身耐久性の低下を予防すること，5) 誤嚥防止の体位を検討すること，などである．

▶ Chapter 4 の確認事項 ▶ eラーニング スライド5対応

1 急性期における摂食嚥下リハビリテーションの内容を理解する．

Chapter 5　回復期における摂食嚥下リハビリテーションの体系（図3）
→（eラーニング ▶ スライド6）

　回復期における摂食嚥下リハビリテーションは，口腔ケアや全身耐久性を改善すること，栄養状態や水バランスを整えることなどの基本的な項目を含んでいる．食物の摂取を行う直接訓練のみが摂食嚥下リハビリテーションではなく，機能評価や間接訓練を含む包括的治療である．

▶ Chapter 5 の確認事項 ▶ eラーニング スライド6対応

1 回復期における摂食嚥下リハビリテーションの内容を理解する．

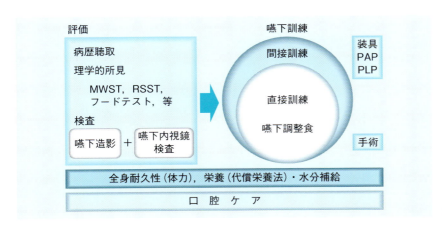

図3　リハビリテーション戦略

Chapter 6　直接的嚥下訓練（直接訓練）のみが摂食嚥下リハビリテーションではない → （eラーニング▶スライド7）

　摂食嚥下リハビリテーションは，「嚥下調整食をすぐに食べさせること」であると勘違いされやすいが，実際には多くの過程から成り立っている．口腔ケアを行ったり全身耐久性を改善すること，栄養状態や水バランスを整えることは，摂食嚥下リハビリテーションの過程において必要不可欠な重要事項である．摂食嚥下訓練を開始するにあたっては，摂食嚥下機能の詳細な評価を行うことが重要で，それに基づいて訓練の方法や安全な食品の選別が行われる．安全が確認されるまでは食品を用いない間接訓練とし，食品の選別や姿勢の調整によって摂食可能と判断されれば，段階的嚥下調整食を用いて直接訓練を開始する．

▶ Chapter 6の確認事項 ▶ eラーニング スライド7対応
1　摂食嚥下訓練を開始するにあたって重要なことは何かを理解する．

Chapter 7　摂食嚥下リハビリテーションにはチーム医療が重要！ → （eラーニング▶スライド8）

　摂食嚥下リハビリテーションを円滑に遂行するには，多職種の参加が重要である．多職種による医療をmultidisciplinary approachという．また，種々の職種が独自に治療を進めるのではなく，カンファレンスなどを通じて情報交換を密に行い，一定の方針に沿ってリハビリテーションを遂行する．すなわち，チーム医療の形態が不可欠である．職種間の連携を推進する医療をinterdisciplinary approachという．各職種の役割をあらかじめ決めておくことは重要であるが，摂食嚥下リハビリテーションにおいては，各職種の役割に明確な境界線を引くことが容易ではない．そこで，職種間の境界領域を互いに補い合うことが重要となる．職種間の補完によってより効果的な治療を推進する医療をtransdisciplinary approachという．

▶ Chapter 7の確認事項 ▶ eラーニング スライド8対応
1　摂食嚥下リハビリテーションチームの三つの形態を理解する．

Chapter 8　回復期における摂食嚥下リハビリテーションの戦略（図4） → （eラーニング▶スライド9）

　回復期における摂食嚥下リハビリテーションの第一として，医師・歯科医師は診察によって問題点を把握し，問題点ごとに各職種に指示を行う．さらに，医師・歯科医師は検査を行い，各職種もそれぞれに評価を行う．その結果を踏まえてカンファレンスを開催し，障害のメカニズムを考え，機能的ゴールの予測を立て，治療方針・内容を決定する．摂食嚥下訓練，身体的訓練，口腔ケア，段階的嚥下調整食の選択など，実際の治療が進行したところで何度か再評価を行い，適宜カンファレンスを繰り返す．その後，退院後の在宅生活指導を行い，ゴールとする．通常，医師・歯科医師がリーダーとなるが，治療はチーム医療として行うことが好ましい．

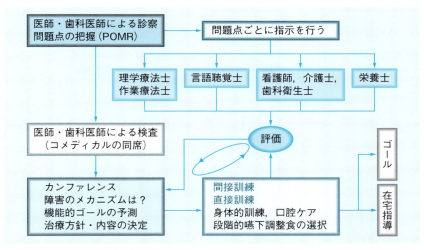

図4　回復期リハビリテーション

> Chapter 8の確認事項 ▶ eラーニング スライド9対応

1 回復期における摂食嚥下リハビリテーションの流れを理解する．

▶ Chapter 9　摂食機能療法の効果に関する多施設共同研究[3)]
→（eラーニング ▶ スライド10, 11）

　日本摂食嚥下リハビリテーション学会によって，摂食機能療法の効果に関する多施設共同研究が行われた．摂食嚥下障害を認める脳血管障害患者を対象として，摂食機能療法を行った患者（介入群）と行っていない患者（非介入群）の変化について比較した．機能障害レベルの評価である臨床的重症度分類（才藤ら）を使用したところ（図5），介入群では治療開始前に比較して治療終了時に点数の著明な改善が認められた．しかし，非介入群では3か月間の身体的リハビリテーションの前後に統計的有意な変化は認められなかった．

　また，能力障害レベルの評価である摂食状況レベル（藤島ら）を使用した場合も同様で，介入群では治療開始前に比較して治療終了時に点数の著明な改善が認められた（図6）．しかし，非介入群では3か月間の身体的リハビリテーションの前後に統計的有意な変化は認められなかった．以上の結果から，摂食機能療法は脳血管障害患者の摂食嚥下障害の治療として有効であると考えられる．この研究は，EBMの観点からエビデンスレベルはⅡaに相当する．

▶ Chapter 10　生活期にある患者の状態は常に一定ではない！
→（eラーニング ▶ スライド12）

　回復期を終え生活期にある患者の摂食嚥下機能は，決して常に一定ではない．生き甲斐のある生活や摂食への意欲，体力の向上などによって，摂食嚥下機能が改善する可能性は少なくない．逆に，摂食量・

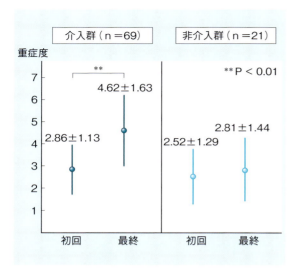

図5 調査前後の臨床的重症度分類の比較（年齢補正後）
（椿原，才藤，藤島ほか，2007.[3]）

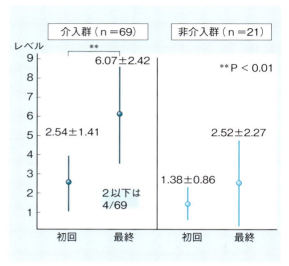

図6 調査前後の摂食状況レベルの比較（年齢補正後）
（椿原，才藤，藤島ほか，2007.[3]）

飲水量の低下に伴う脱水症や低栄養状態，低ナトリウム血症の発症，体力の低下，睡眠薬の多量服用，睡眠不足などによって，摂食嚥下機能が悪化する危険性が高い．在宅生活においても，かかりつけの医師や歯科医師，訪問看護師，歯科衛生士などによる症状の観察と生活指導が重要となる．介護保険制度を有効に利用し，体力や生き甲斐を低下させないように予防するとともに，定期的な口腔ケアのチェックを受けることが重要な鍵となる．

▶ Chapter 10の確認事項 ▶ eラーニング スライド12対応

1 生活期における摂食嚥下障害対応のポイントを理解する．

文 献

1) 馬場 尊，才藤栄一：摂食・嚥下障害の診断と評価．日獨医報，46：17-25, 2001.
2) Daggett A, Logemann J, Rademaker A, Pauloski B：Laryngeal penetration during deglutition in normal subjects of various ages. Dysphagia, 21(4)：270-274, 2006.
3) 椿原彰夫，才藤栄一，藤島一郎，他：摂食機能療法の効果に関する研究．日摂食嚥下リハ会誌，11(3)：403-405, 2007.

§2 解剖・生理

第1分野
摂食嚥下リハビリテーションの全体像
2―解剖・生理

3 構造（解剖）

Lecturer ▶ 依田光正

昭和大学医学部
リハビリテーション医学講座教授

学習目標 *Learning Goals*
- 摂食嚥下に関与する器官のしくみを理解する
- 摂食嚥下に関与する構造の名称を知る

▶ Chapter 1　摂食嚥下に関係する器官の位置関係（図1）→（eラーニング▶スライド1, 2）

　摂食嚥下リハビリテーションを学び，実際に行ううえで必要な構造（解剖）を解説する．

　食物は口腔に取り込まれたのちに，咽頭，そして食道へと送り込まれる．咽頭は空気の通り道でもあり，鼻腔・喉頭ともつながっている．嚥下の際には，この連絡路が閉ざされ，食物は入り込めない．口腔は上下の口唇からなる口裂で始まり，口蓋帆，口蓋舌弓・口蓋咽頭弓，舌根部によって狭くなっている部位（口峡）で咽頭と隔てられる．咽頭は頭蓋底から第6頸椎の高さまで続く，骨格筋に囲まれた腔である．上方から上咽頭（咽頭鼻部，鼻咽頭），中咽頭（咽頭口部，口咽頭），下咽頭（咽頭喉頭部，喉頭咽頭）に分けられる．上咽頭と中咽頭は硬口蓋あるいは軟口蓋が挙上した高さで，中咽頭と下咽頭は喉頭蓋の高さで区切られる．喉頭は咽頭に開いた気道の入り口であり，第4～6頸椎の高さで下咽頭の前方に位置する．喉頭は軟骨に囲まれた臓器であり，常に内腔を有する．後方に位置する食道の壁は筋層からなり，食道は通常はつぶれた状態にある．

▶ Chapter 1 の確認事項 ▶ eラーニング スライド1, 2対応

1 嚥下関連諸器官の位置関係を理解する．

▶ Chapter 2　口　腔（図2）→（eラーニング▶スライド3）

　口腔は，前方は口唇，側方は頬，上部は口蓋，下方は舌・舌下部からなる口腔底に囲まれる．口蓋の前方は中核に骨があり，硬口蓋と呼ばれる．後方は軟口蓋と呼ばれ，中核に口蓋筋があり，嚥下時に後上方へ挙上して鼻咽腔とのつながりを閉鎖する．歯列は「噛み切る」ための前歯（切歯・犬歯）と「すりつぶす」ための臼歯（大臼歯・小臼歯）からなる．成人では上顎下顎とも中央から側方に向けて，1番：中切歯，2番：側切歯，3番：犬歯，4番：第一小臼歯，5番：第二小臼歯，6番：第一大臼歯，7番：第二大臼歯，8番：第三大臼歯と並び，上下左右で合計32本となる．犬歯は動物では門歯と呼ばれることが多く，第三大臼歯は智歯とも呼ばれ，いわゆる「親知らず」のことである（乳歯は乳中切歯，乳側切歯，乳犬歯，第一乳臼歯，第二乳臼歯の20本であるが，顎の成長に伴い6歳頃から12歳頃にかけて「乳歯」から「永久歯」へ生えかわる）（Chapter 3 参照）．この歯列と，頬・口唇との間の溝を口腔前庭，歯列より後方の広いスペースを固有口腔という．咽頭との境は口峡と呼ばれ，上壁は軟口蓋の後部である口蓋帆（中央部は下方に突出し口蓋垂と呼ばれる），側壁は口蓋帆から外下方に向かう口蓋舌弓および口蓋咽頭弓よりなる．

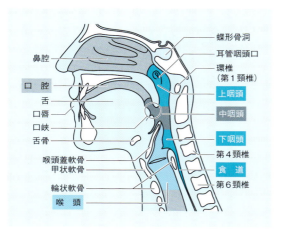

図1 摂食嚥下関係諸器官の位置関係

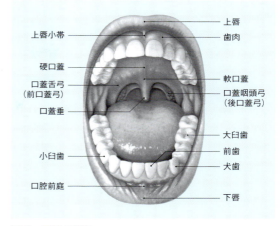

図2 口腔の構造

> Chapter 2の確認事項 ▶ eラーニング スライド3対応

1 口腔の解剖学的特性を理解する．

▶ Chapter 3 歯 (図3) → (文責：下堂薗 恵，eラーニング ▶「4．機能（生理）」スライド5)

　大きい固形物は上下の切歯や犬歯で噛み切り，捕食する．歯列弓は四つの歯の群から構成される．上下の歯列弓相互の噛み合わさった状態を咬合という．臼歯は「押しつぶし」や「すりつぶし」の機能を担う．歯と歯槽骨の間には歯根膜があり，圧受容器として働く．歯が脱落すると咬合圧がかからないため歯槽骨は吸収され，口腔の形態が崩れ咀嚼効率は低下する．

> Chapter 3の確認事項 ▶ eラーニング「4．機能（生理）」スライド5対応

1 切歯，犬歯，臼歯の役割を理解する．
2 歯根膜，歯槽骨と咀嚼の関係を理解する．

▶ Chapter 4 舌 → (eラーニング ▶ スライド4)

　舌は前方の舌体と後ろ1/3の舌根に分けられ，舌根は口腔底に付着する．舌の先端部を舌尖，上面を舌背という．舌体と舌根はV字形の舌分界溝によって区分される．分界溝が後方に角をつくるところに舌盲孔という陥凹がある．舌の粘膜には粘膜の小隆起である舌乳頭が発達している．糸状乳頭，茸状乳頭，葉状乳頭，有郭乳頭の4種の舌乳頭があり，糸状乳頭以外には味覚の受容器である味蕾が存在する．味蕾は軟口蓋，口蓋垂，咽頭にも分布するが大部分は舌乳頭にある．前方2/3の味覚は顔面神経，感覚は三叉神経，後方1/3は味覚・知覚ともに舌咽神経，喉頭蓋・咽頭部における味覚・知覚は迷走神経が支配する．舌の運動は舌下神経に支配される．

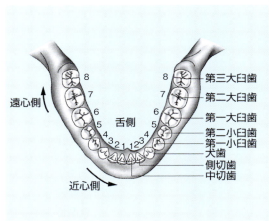

図3 歯列（下顎の場合）

> ▶ Chapter 4の確認事項 ▶ eラーニング スライド4対応
> 1 舌の解剖学的特性を理解する．
> 2 舌の嚥下時の働きを理解する．

▶ Chapter 5　**舌筋群** →（eラーニング ▶ スライド5）

　舌の内部は筋が発達しており，舌の外部の骨から起こって舌に終わる筋を外舌筋（オトガイ舌筋・舌骨舌筋・茎突舌筋・口蓋舌筋）といい，舌の大きな運動にかかわる．舌のなかから起こり舌のなかに終わる筋を内舌筋（上縦舌筋・下縦舌筋・横舌筋・垂直舌筋）といい，舌の形状を変化させる働きをもつ．外舌筋・内舌筋のほとんどは舌下神経に支配されるが，口蓋舌筋は迷走神経・舌咽神経からなる咽頭神経叢に支配される．

> ▶ Chapter 5の確認事項 ▶ eラーニング スライド5対応
> 1 舌筋群の働きと，その神経支配を理解する．

▶ Chapter 6　**咀嚼筋群** →（eラーニング ▶ スライド6）

　咀嚼に関与する筋は，咬筋，側頭筋，内側翼突筋，外側翼突筋の4種類がある．咬筋は頬骨弓から起こり下顎角外面に停止し，下顎骨を挙上させ，歯を噛み合わせる働きがある．側頭筋は側頭部の側頭窩から起こり下顎枝の前方部分の筋突起に停止し，下顎を挙上するとともに後方へ引く働きがある．内側翼突筋は蝶形骨の翼突起から下方に走行し，下顎角内面に付着する．下顎の挙上に働く．外側翼突筋は蝶形骨の大翼と翼状突起から後方へ走行し，下顎骨関節突起の前面に付着する．片側が働けば下顎は反対側へ移動し，両側が働けば下顎は前方に移動する．
　咀嚼筋群はすべて下顎神経（三叉神経第三枝）の支配を受ける．

> Chapter 6 の確認事項 ▶ e ラーニング スライド6対応

1. 咀嚼筋の種類を理解する．
2. それぞれの咀嚼筋の働きを理解する．

▶ Chapter 7　　唾液腺 →（e ラーニング ▶ スライド7）

　唾液は口腔内を湿潤させ，食物と混合することで咀嚼を助け，抗菌作用・消化作用もあり，摂食嚥下に大きくかかわっている．唾液腺には，大唾液腺である耳下腺・顎下腺・舌下腺と，小唾液腺である口唇腺・頰腺・口蓋腺・臼歯腺・舌腺などがある．大唾液腺は分泌細胞から太い導管系を介して分泌され，小唾液腺は粘膜下に分泌細胞があり，多数の細い導管を介して分泌される．耳下腺は最大の唾液腺で耳前下方に位置し，導管である耳下腺管は5〜6cmあり，上顎第二大臼歯の対岸にある耳下腺乳頭から口腔前庭に開く．顎下腺は顎舌骨筋の下方で下顎と顎二腹筋に挟まれる形で位置しており，顎下腺管は舌下小丘に開く．舌下腺は口腔底粘膜の下，顎舌骨筋の上方にあり，大舌下腺管は顎下腺管と合して舌下小丘に開き，そのほかに多数の小舌下腺管が舌下ヒダに沿って開いている．唾液には，でんぷんの消化酵素であるアミラーゼを多く含む漿液性唾液と，粘膜の表面をなめらかにする粘液多糖類や糖タンパクを多く含む粘液性唾液がある．耳下腺は漿液性唾液を分泌し，副交感神経である舌咽神経（小錐体神経）が分泌に関与する．顎下腺・舌下腺は漿液と粘液の混合性唾液を分泌し，副交感神経である顔面神経（鼓索神経）によって分泌が促進される．

> Chapter 7 の確認事項 ▶ e ラーニング スライド7対応

1. 唾液の働きを理解する．
2. 唾液腺の種類と開口部の位置関係を理解する．

▶ Chapter 8　　咽　頭 →（e ラーニング ▶ スライド8）

　上咽頭の前方は鼻腔に開き，中咽頭は口腔につながっている．上咽頭には咽頭と鼓室をつなぐ耳管の開口部（耳管咽頭口）がある．下咽頭は前方で甲状軟骨に付着し，咽頭壁は喉頭の両外側に回り込む形となり，そこに梨状陥凹（梨状窩）と呼ばれる深い凹みを生じている．嚥下の際に喉頭を前方からふたをする役割をもつ喉頭蓋と舌根部にできる楔状の隙間を喉頭蓋谷という．

> Chapter 8 の確認事項 ▶ e ラーニング スライド8対応

1. 咽頭の位置関係，解剖学的特性を理解する．

▶ Chapter 9　　咽頭の筋群 →（e ラーニング ▶ スライド9）

　咽頭の側方・後方は，筋層に囲まれている．咽頭の側壁・後壁は，上・中・下の咽頭収縮筋からなる．上咽頭収縮筋は蝶形骨翼状突起，軟口蓋，舌根，下顎骨から起こり，中咽頭収縮筋は舌骨の大角・小角，

下咽頭収縮筋は喉頭の甲状軟骨，輪状軟骨から起こり，いずれも咽頭後壁正中線の咽頭縫線に付着している．上咽頭収縮筋の下部の線維は舌根部に付着し，舌咽頭筋とも呼ばれ，嚥下の際に舌骨が後方に引かれると同時に咽頭後壁が舌根の高さで前方に隆起するのはこの筋の働きとされる．下咽頭収縮筋下部の筋線維は輪状軟骨後外側から対側の後外側まで走行し，輪状咽頭筋として区別されることもある．輪状咽頭筋は通常は収縮し吸気が食道に入らないようにしているが，食物が通過する際には弛緩する．上食道括約筋，咽頭食道収縮筋とも呼ばれる．咽頭の筋群の神経支配は，茎突咽頭筋は舌咽神経であり，そのほかは迷走神経支配である．

▶ Chapter 9の確認事項 ▶ eラーニング スライド9対応

1 各咽頭筋の位置と働きを理解する．

▶ Chapter 10　咽頭筋内層と口蓋の筋群 → （eラーニング ▶ スライド10）

咽頭の内層には耳管咽頭筋，茎突咽頭筋，口蓋咽頭筋が縦に走っており，嚥下時に咽頭・喉頭を引き上げる．耳管咽頭筋・口蓋咽頭筋は舌咽神経・迷走神経からなる咽頭神経叢，茎突咽頭筋は舌咽神経の支配を受ける．口蓋咽頭筋は口蓋舌筋とともに軟口蓋を引き下げる働きがある．口蓋帆張筋と口蓋帆挙筋が口蓋帆を緊張・挙上させ，口蓋垂筋が口蓋垂を短縮させることで鼻咽腔閉鎖が行われる．口蓋帆張筋は下顎神経（三叉神経），口蓋帆挙筋・口蓋垂筋は咽頭神経叢の支配を受ける．

▶ Chapter 10の確認事項 ▶ eラーニング スライド10対応

1 咽頭の内層筋の位置と，その働きを理解する．

▶ Chapter 11　喉　頭 → （eラーニング ▶ スライド11, 12）

喉頭は，気管の上端に位置する長さ約5cmの管状器官である．消化管に開いた空気の取り込み口で，発声器としての役割ももつほか，嚥下の際には食物が気道へ流入するのを防ぐ．内腔は喉頭腔であり，6種類の喉頭軟骨が互いに関節・靱帯によって結合され壁をつくり，これに多くの喉頭筋がついている．喉頭の入り口を喉頭口といい，咽頭下部の前壁にある．喉頭の最上部に位置するのが喉頭蓋である．喉頭最上部の前壁と甲状軟骨後面から起こり，甲状喉頭蓋靱帯で連結され，上方に伸びている．喉頭蓋の前面は舌面といい，後面を咽頭面という．喉頭蓋軟骨からできており，喉頭蓋前面の下1/3は舌根の後方となり舌骨喉頭蓋靱帯で舌骨とつながっている．

喉頭蓋と舌根の間にできる楔状のスペースを喉頭蓋谷という．喉頭蓋の側縁から披裂軟骨の上端へ披裂喉頭蓋ヒダが走り，左右のヒダで喉頭口を挟む．披裂喉頭蓋ヒダの後部には楔状軟骨からなる楔状結節，小角軟骨からなる小角結節が左右対となり，両側の小角結節の間は披裂間切痕と呼ばれる．披裂喉頭蓋ヒダの下端は室靱帯や筋がヒダとなり仮声帯（室ヒダ，前庭ヒダ）と呼ばれ，声帯の上外側を併走する．喉頭口から仮声帯までの漏斗状の空間を喉頭前庭という．声帯は声帯筋と甲状披裂筋からなり，仮声帯の下を並行して前後に走っており，前方は甲状切痕から，後方は披裂軟骨の声帯突起に付着する．両側の声帯の間を声門裂といい，声帯と声門裂を合わせて声門という．仮声帯と声帯の間の隙間を喉頭室という．声帯から下方に声門下腔と呼ばれ気管腔に続く．声帯の運動は迷走神経の枝の反回神

経に支配される．

> Chapter 11 の確認事項 ▶ eラーニング スライド 11, 12 対応

1 喉頭の構造を理解する．

Chapter 12　内喉頭筋と声帯の動き → (eラーニング ▶ スライド 13)

　喉頭軟骨に付く喉頭筋は外喉頭筋と内喉頭筋に大別され，前者は嚥下に，後者は発声に関わる．外喉頭筋には甲状舌骨筋や胸骨甲状筋があり，上方から甲状舌骨筋が喉頭を引き上げ，下方から胸骨甲状筋が引き下げる．舌骨に付く筋［舌骨上筋群・舌骨下筋群］は舌骨を動かすことによって間接的に喉頭を動かしている（後述）．

　内喉頭筋は喉頭内にある固有の筋であり，声門の開閉や声帯の緊張に作用する（図4）．輪状甲状筋は輪状軟骨を後傾させることで披裂軟骨と甲状軟骨の距離を広げ，声帯は引き伸ばされ緊張する．甲状披裂筋は披裂軟骨を前方に引き寄せ，披裂軟骨と甲状軟骨の距離が狭まり，声帯が弛緩する．甲状披裂筋の内層は声帯ヒダに入り声帯筋と呼ばれる．後輪状披裂筋は輪状軟骨の後面から斜めに上外側に走行し，披裂軟骨に付着しており，収縮すると披裂軟骨が外転し，その結果声門が開く．声門を開く筋は後輪状披裂筋のみである．外側輪状披裂筋は輪状軟骨から披裂軟骨の外側にある筋突起に付着し，披裂軟骨を内転させ声門を閉じる．両側の披裂軟骨を後方でつないでいる披裂筋には横走する横披裂筋とX字をなす斜披裂筋があり，左右の披裂軟骨を近づけ，声門の後部を閉める．披裂喉頭蓋筋は披裂喉頭蓋ヒダのなかを走り，喉頭口を閉じる働きがある．内喉頭筋の神経支配は，輪状甲状筋が迷走神経の枝である上喉頭神経であり，そのほかの筋は迷走神経の枝である反回神経に続く下喉頭神経である．

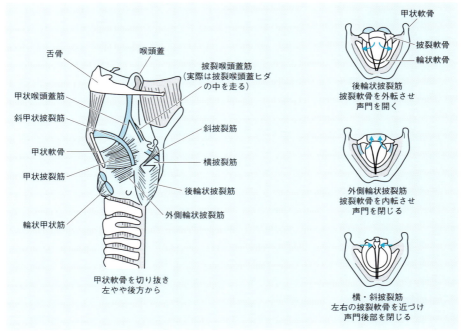

図4　内喉頭筋と声帯の動き

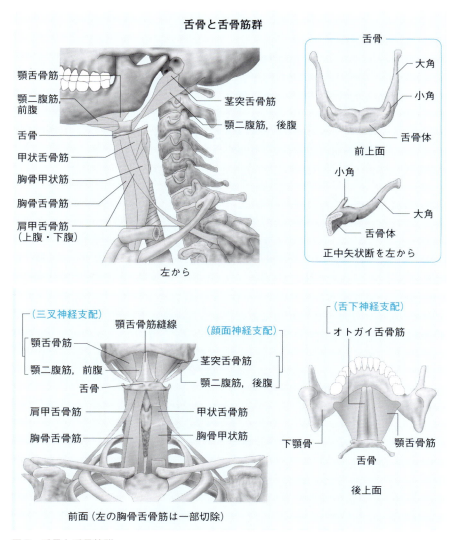

図5 舌骨と舌骨筋群

> Chapter 12 の確認事項 ▶ e ラーニング スライド 13 対応

1. 喉頭筋の区分けと働きを理解する．
2. 声帯の働きを理解する．

▶ Chapter 13　舌　骨 → (e ラーニング ▶ スライド 14)

　舌骨は，下顎と咽頭の間に存在するU字形をした骨である（図5上）．舌骨は他の骨との関節構造をもたず，前方は顎二腹筋前腹・顎舌骨筋・オトガイ舌骨筋で下顎に，後方は顎二腹筋後腹・茎突舌骨筋で側頭骨の後外側壁（乳様突起，茎状突起）に付着し，前後からハンモック状に吊り下げられている形となっている．下方は甲状舌骨筋・甲状舌骨靱帯によって喉頭とつながっており，舌骨が前上方に挙上すると喉頭も前上方に挙上する．舌骨筋は舌骨より上方に位置する舌骨上筋群（顎二腹筋，茎突舌筋，

▶ 40

顎舌骨筋，オトガイ舌骨筋），下方に位置する舌骨下筋群（胸骨舌骨筋，肩甲舌骨筋，胸骨甲状筋，甲状舌骨筋）に分けられる．

▶ Chapter 13 の確認事項 ▶ eラーニング スライド 14 対応

1 舌骨と舌骨筋群の解剖学的特性を理解する．

▶ Chapter 14　**舌骨筋群** →（eラーニング ▶ スライド 15）

　顎二腹筋の前腹は下顎骨前部後面から，後腹は側頭骨乳様突起内側から起こり，線維性の滑車を伴う中間腱を介して舌骨体に停止する．下顎が固定されていれば舌骨の挙上に働き，舌骨が固定されていれば下顎を引き下げる開口筋として働く．顎舌骨筋は下顎骨体内面から起こり，前方部は正中で顎舌骨筋縫線を形成し，後方部は舌骨体前面に停止する．下顎を下方へ引き下げるとともに，嚥下の際には口腔底と舌を引き上げる働きがある．茎突舌骨筋は側頭骨の茎状突起から起こり，舌骨大角の基部に停止する．舌骨を後上方へ引く働きがある．オトガイ舌骨筋は下顎正中部後面にあるオトガイ棘から起こり，顎舌骨筋の上を左右並んで走り，舌骨体の前面に付着する．下顎が固定されていれば舌骨を前方に引き，舌骨が固定されていれば下顎を引き下げる開口筋として働く．顎二腹筋前腹・顎舌骨筋は下顎神経（三叉神経），顎二腹筋後腹・茎突舌骨筋は顔面神経，オトガイ舌骨筋は舌下神経の支配を受ける．

▶ Chapter 14 の確認事項 ▶ eラーニング スライド 15 対応

1 舌骨上筋群の種類と働きを理解する．

▶ Chapter 15　**食　道** →（eラーニング ▶ スライド 16）

　食道の上端は喉頭の輪状軟骨の下縁で始まり，横隔膜の食道裂孔を通り，腹腔に入ったのちに胃に連なる．食道起始部から胸骨上縁までを頸部食道，胸骨上縁から横隔膜貫通部までを胸部食道，横隔膜貫通部から食道胃接合部までを腹部食道という．第一狭窄部（食道起始部），第二狭窄部（気管分岐部），第三狭窄部（横隔膜貫通部）の3か所に生理的狭窄部位をもつ．第一狭窄部は食道の上端で第6頸椎の高さにあり，切歯からおよそ15cm，第二狭窄部は気管分岐部の高さで第4〜第5胸椎の高さにあり，切歯から25cm，第三狭窄部は横隔膜の食道裂孔を通過する所で第11胸椎の高さにあり，切歯から約40cmのところに位置する．食道に分布する神経は交感神経と迷走神経であり，交感神経は血管運動性に，迷走神経は筋の運動性や腺分泌に関与する．筋層は内輪走筋と外縦走筋からなり，食物は筋層の蠕動運動によって運ばれる．

▶ Chapter 15 の確認事項 ▶ eラーニング スライド 16 対応

1 食道の解剖学的特性を理解する．
2 食道各部の働きと神経支配を理解する．

第1分野
摂食嚥下リハビリテーションの全体像
2―解剖・生理

4 機能（生理）

Lecturer ▶ 下堂薗　恵

鹿児島大学大学院医歯学総合研究科
リハビリテーション医学分野教授

学習目標 Learning Goals

- 摂食嚥下に関与する臓器や器官の機能について理解する
- 摂食嚥下に関与する中枢神経や末梢神経，筋肉の機能について理解する

▶Chapter 1　摂食嚥下運動の過程（時相）：5期モデル → (eラーニング ▶ スライド1, 2)

　摂食嚥下には随意運動と反射運動が複雑に組み合わせられ，多くの臓器や器官が機能している．本章では摂食嚥下の機能（生理）について概説する．

　摂食行動とは，「食物をとる」行動を広く指す．摂食嚥下の5期モデル[1]（図1）は，摂食嚥下の全体像を概念的にとらえやすい．他章（p.49以降）で詳述されるように，準備期から口腔期にかけては食物の形態，すなわち「液体を飲む」のか（液体嚥下），「固形物を食べる」のか（咀嚼嚥下）によって相（食塊移動）と期（運動生理学的事象）は異なることが明らかとなってきている[2]．

▶ Chapter 1 の確認事項 ▶ eラーニング スライド1, 2対応

1 摂食嚥下運動の概要を理解する．

▶Chapter 2　先行期――摂食行動の誘因（刺激）と発現（図2）
→ (eラーニング ▶ スライド3)

　先行期とは，何をどのように食べるかを判断し，食物を口まで適切に運ぶ時期である．摂食場面において，嚥下の開始前に（あるいは並行して）脳内では多数の情報が階層的に並行処理されている．食物が視覚情報として後頭葉に入ると，側頭葉では「何？」という形態視系が処理され，記憶と照合し認識され，嗜好も加味されることになる．同時にテーブルや皿の「どこにある？」という空間情報，フォークなどの道具を「どう使う？」という情報は頭頂葉で処理される．一方，体内の血糖やホルモン等の情報は視床下部の摂食中枢を刺激して本能たる食欲を形成し，「食べよう」という意思を強化する．これらの情報は前頭前野で統合され，「食べる順番」や「手を伸ばす方向」「道具の使用」「どのくらい開口してどの程度の力で咀嚼する」などの運動プログラムが形成され，運動野から脳幹や脊髄へ伝達される．また，これらを「効率よく実行」するには覚醒，すなわち意識があること，さらに「食行動」や「食べる対象や道具」に対して「注意」を空間的にも時間的にも持続，配分，選択，制御できるかが重要である．以上のように先行期には脳内の多くの領域が動員されている．また，直接的に摂食嚥下にかかわる器官以外にも視覚，聴覚，嗅覚などの感覚器や上肢および体幹などの運動機能も摂食行動には重要である．

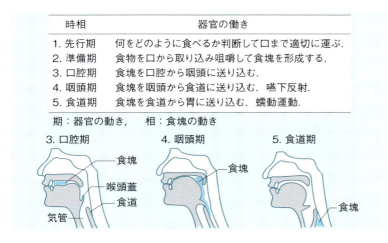

図1　摂食嚥下運動の5期モデル

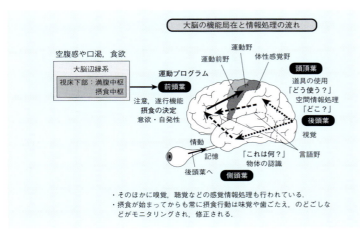

図2　先行期――摂食行動の誘因（刺激）と行動発現

> Chapter 2の確認事項 ▶ eラーニング スライド3対応
>
> 1 先行期とは何かを理解する．
> 2 認知，捕食の神経支配を理解する．

Chapter 3　口唇の運動――口唇によるとり込み → （eラーニング ▶ スライド4）

　（口腔）準備期では食物をとり込み（捕食），噛み砕かれて唾液と混ぜられた食物（食塊）を形成する．捕食には口唇と歯が重要で，口唇と顎の開閉により行われるが，その方法は食物の形態や食器の種類によって異なる．口唇の運動は表情筋によって行われ，咀嚼中にも食物が口からこぼれないように働き，頰筋は食物が口腔前庭に落ちないよう保持する（図3）．

> Chapter 3の確認事項 ▶ eラーニング スライド4対応
>
> 1 準備期における口唇の働きを理解する．

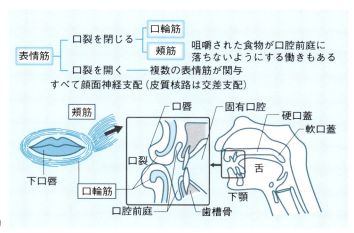

図3 口唇によるとり込み──口唇の運動

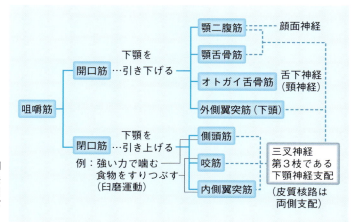

図4 顎運動──開口と閉口
外側翼突筋は咀嚼運動に対して重要な役割を果たすが、その機能特性は十分に明らかにされていない。本テキストでは、「外側翼突筋（下頭）」として開口筋に含めた。

> Chapter 4　**顎運動──開口と閉口，咀嚼運動** → (eラーニング ▶ スライド6)

　下顎の顎運動による開口と閉口によって上下歯列が接近し，食物は圧縮，粉砕される．下顎は閉口とともに側方へも動き，食物をすりつぶす運動（臼磨運動）を行っている（図4）．咀嚼筋はおもに三叉神経支配である．当初，大脳皮質からの司令によって随意的に開始されたあと，脳幹の咀嚼中枢にあるリズム発生器からの信号により周期的な自動運動となる[3]．咀嚼には咀嚼筋だけでなく，舌や頬，口唇など多くの器官の協調が必要である．

> Chapter 4の確認事項 ▶ eラーニング スライド6対応

1 咀嚼時の顎運動を理解する．

> Chapter 5　**唾液の生理** → (eラーニング ▶ スライド7)

　唾液分泌は自律神経によって反射性に調整され，唾液腺への交感神経刺激では少量の粘液性唾液が，また副交感神経刺激では大量の漿液性唾液が分泌される．交感神経と副交感神経との拮抗支配はなく，

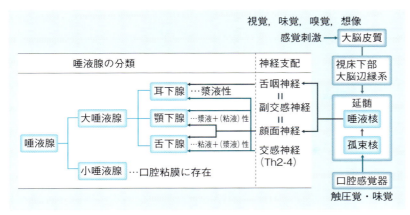

図5 唾液の生理
唾液は1日あたり1〜1.5L分泌される.
pH 5.5〜8.0の範囲で変動する.
99%は水分. 残りが電解質と有機質.

表1 唾液の作用

1. 咀嚼および嚥下の補助：食塊の形成や移送に必要である
2. 洗浄および抗菌：食物残渣の貯留や細菌増殖を防止する
3. 溶解：食物中の味質を溶解させ味蕾に到達し，味覚が発現する
4. 緩衝：酸やアルカリの中和，高温や低温の食物温度の調整をする
5. 消化：アミラーゼによりでんぷんを分解するがその作用は弱い
6. その他：歯や粘膜の保護，水分代謝，排泄，構音時の円滑など

ともに促進作用がある．口腔や食道，胃の粘膜への刺激ならびに味覚，嗅覚，その他条件反射によっても分泌は亢進し，脳幹の下位中枢と大脳の上位中枢により調整される[4]（図5）．唾液は咀嚼や嚥下の補助のほか，洗浄や味覚の発現，消化と多くの働きをもつ（表1）．

Chapter 5の確認事項 ▶ eラーニング スライド7対応

1. 唾液分泌の神経支配を理解する．
2. 唾液の役割を理解する．

Chapter 6 舌運動 →（次章「5 嚥下モデル」参照）

Chapter 7 舌の感覚情報伝達 →（eラーニング ▶ スライド9）

舌の感覚機能には，体性感覚（触覚と圧覚，温度覚，痛覚，さらに深部覚として位置覚，運動覚）と味覚がある．部位により求心性神経支配は異なり，前方2/3において体性感覚は舌神経（三叉神経）が，味覚は鼓索神経（顔面神経）が支配している．一方，後方1/3はともに舌咽神経の支配である．味覚は味蕾にある化学受容細胞が塩味，酸味，甘味，苦味の4基本味質を検出する．これらの感覚情報は脳幹，視床，大脳皮質に伝達され嚥下運動を調整する（図6）．

Chapter 7の確認事項 ▶ eラーニング スライド9対応

1. 舌の感覚機能を理解する．
2. 舌の神経支配を理解する．
3. 味覚の感知と感覚情報の，嚥下運動に対する関係を理解する．

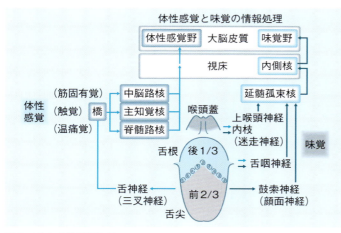

図6 舌の感覚情報伝達

表2 嚥下運動：嚥下反射によって起こる一連の運動

1. 軟口蓋挙上→鼻咽腔閉鎖
2. 舌背挙上→口腔と咽頭の遮断
3. 舌根後退→咽頭への送り込み
4. 舌骨，喉頭→前上方への挙上
5. 喉頭蓋反転，披裂の内転，声門閉鎖 →喉頭閉鎖
6. 咽頭収縮
7. 輪状咽頭筋弛緩→食道入口部の開大

気道を閉鎖して，食塊を咽頭から食道に送り込む．

▶Chapter 8　嚥下運動 →（eラーニング▶スライド10）

嚥下運動は嚥下反射によって起こる一連の運動で，気道を閉鎖して（呼吸は停止し）食塊が咽頭を通過して食道に送り込まれる．1回の嚥下運動は表2の七つの運動からなり，これらの複雑な運動が約0.5秒で行われる．嚥下運動は1日約600回行われている[6]．

▶ Chapter 8の確認事項 ▶ eラーニング スライド10対応

1. 嚥下運動の概要を理解する．

▶Chapter 9　嚥下運動に関与するおもな咽頭，喉頭の筋肉　参照▶P.37以降
→（eラーニング▶スライド11）

嚥下運動に関与するおもな咽頭，喉頭の筋肉は，舌骨を上前方へ挙上させる筋群や喉頭を挙上させる筋群，喉頭を閉鎖させる筋群，咽頭収縮筋群などである．輪状咽頭筋は咽頭期には弛緩する．

▶ Chapter 9の確認事項 ▶ eラーニング スライド11対応

1. 嚥下運動にかかわる咽頭，喉頭の筋群について理解する．

▶Chapter 10　嚥下に関係する運動神経とおもな筋の働き（表3）
→（eラーニング▶スライド12）

嚥下に関与するおもな運動神経として，脳神経では三叉神経，顔面神経，舌咽神経，迷走神経，舌下神経などがある．

▶Chapter 11　嚥下に関係する感覚神経の働き（表4）→（eラーニング▶スライド13）

嚥下に関与するおもな感覚神経は，三叉神経，舌咽神経，迷走神経などである．

表3 嚥下に関係する運動神経とおもな筋の働き

神経	支配筋	嚥下における働き
三叉神経（V）	咀嚼筋 口蓋帆張筋 顎舌骨筋，顎二腹筋前腹	開口，閉口の顎運動 口蓋帆を張る（軟口蓋の引き下げ） 舌骨の挙上
顔面神経（VII）	表情筋（口唇筋） 茎突舌筋	口裂の開閉，咀嚼時の食塊保持 舌骨の挙上
舌咽神経（IX）	口蓋帆挙筋など 咽頭括約筋，茎突咽頭筋など	軟口蓋の挙上 咽頭収縮
迷走神経（X）	甲状咽頭筋，輪状咽頭筋 輪状甲状筋など 食道	咽頭収縮 声門閉鎖 蠕動運動
舌下神経（XII）	内舌筋，外舌筋 オトガイ舌骨筋	舌運動 舌骨を前方に引く
頸神経ワナ	甲状舌骨筋 胸骨舌骨筋	喉頭挙上 舌骨の下制

（ ）内の数字は脳神経の番号を示す．

表4 嚥下に関係する感覚神経の働き

支配領域	感覚	神経支配	
		末梢神経	脳神経
口唇，口腔粘膜 歯根膜	触圧覚など 歯にかかる圧力	上顎神経および下顎神経	→三叉神経（V）
舌 前2/3	触圧覚など 味覚	舌神経 鼓索（舌）神経	→三叉神経（V） →顔面神経（VII）
舌 後1/3	触圧覚など 味覚		舌咽神経（IX） 舌咽神経（IX）
喉頭蓋〜喉頭蓋谷	触圧覚など，味覚	上喉頭神経（内枝）	→迷走神経（X）
扁桃，咽頭，軟口蓋	触圧覚など		舌咽神経（IX）
咽頭，喉頭，食道	触圧覚など		迷走神経（X）

（ ）内の数字は脳神経の番号を示す．色文字は，嚥下運動誘発の求心路として重要．
触圧覚など；そのほかに温痛覚，筋固有覚を含む．

▶ Chapter 12　嚥下反射の中枢機構 →（eラーニング ▶ スライド14）

　嚥下運動の反射機構は，口腔や咽頭の粘膜にある感覚受容器から舌咽，迷走神経などの求心性神経を介して，脳幹の延髄にある嚥下中枢に伝えられ，反射的に遠心性神経を介して嚥下関連筋群の運動を引き起こす．嚥下反射や咳反射の求心性の神経伝達物質としてサブスタンスPが重要なことが知られてきている[7]．感覚受容器からの情報はさらに視床や大脳辺縁系，大脳皮質にも伝えられる．大脳皮質や大脳辺縁系の上位中枢は嚥下反射中枢の活動をコントロールしていると考えられている．嚥下に関与する大脳皮質には第一次運動野や感覚野の口腔顔面領域から咽頭，喉頭にかけての領域，島葉，前帯状皮質などが明らかとなってきている[8]．

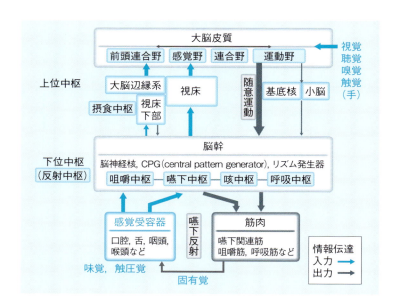

図7 摂食嚥下や関連運動の神経機構

> ▶ Chapter 12 の確認事項 ▶ e ラーニング スライド14対応
>
> 1. 嚥下反射の神経支配を理解する.
> 2. 大脳皮質や大脳辺縁系のはたらきを理解する.

Chapter 13　摂食嚥下や関連運動の神経機構 →(e ラーニング ▶ スライド15)

　摂食嚥下には，脳幹を介して反射的に行われる運動と大脳皮質からの司令によって随意的に行われる運動がある．脳幹には咀嚼のリズム発生器があり，嚥下の運動パターン発生器（CPG）も存在すると考えられている．これらの反射中枢は上位中枢からその活動を調整され，また末梢の感覚受容器からの求心性入力により修飾されると考えられている[8]（**図7**）．

> ▶ Chapter 13 の確認事項 ▶ e ラーニング スライド15対応
>
> 1. 摂食嚥下の神経機構を理解する.

文　献

1) Leopold NA, Kagel MC：Swallowing, ingestion and dysphagia：a reappraisal. Arch Phys Med Rehabil, 64：371-373, 1983.
2) 馬場　尊：プロセスモデル（嚥下）．臨床リハ, 18(1)：49, 2009.
3) 中村嘉男：咀嚼運動の生理学．医歯薬出版，東京，1998.
4) 松尾龍二：唾液分泌の中枢制御機構．日薬理誌，127(4)：261-266, 2006.
5) Palmer JB：Integration of oral and pharyngeal bolus propulsion：a new model for the physiology of swallowing. 日摂食嚥下リハ会誌，1：15-30, 1997.
6) Lear CS, Flanagan JB Jr, Moorrees CF：The frequency of deglutition in man. Arch Oral Biol, 10：83-100, 1965.
7) 松元秀次，下堂薗恵，川平和美：嚥下障害のバイオマーカー：サブスタンスP．Geriatric Medicine, 45(10)：1331-1335, 2007.
8) 山田好秋：嚥下の神経生理学．日摂食嚥下リハ会誌，10(1)：3-11, 2006.

第1分野 摂食嚥下リハビリテーションの全体像
2―解剖・生理

5 嚥下モデル：4期モデル・プロセスモデル・5期モデル

Lecturer ▶ 松尾浩一郎
東京科学大学大学院医歯学総合研究科
地域・福祉口腔機能管理学分野教授

学習目標 Learning Goals
- 嚥下の4期モデル，プロセスモデル，および5期モデルについて理解する

▶ Chapter 1　4期モデル・プロセスモデル・5期モデル
→ (eラーニング ▶ スライド2)

　正常の摂食嚥下の生理を述べるときには，おもに次の二つの系統的モデルが用いられる．臨床的には，これらに先行期を加えた5期モデル（本章末参照）が一般的に用いられる．

4期モデル (four stage model)[1]
　水，もしくはそれに準じた液体の嚥下動態に対する摂食嚥下モデル．食物の場所により，準備期から食道期までの4期に分けて説明する．各期がほぼ重複することなく続いていく．

プロセスモデル (process model)[2]
　食物の咀嚼，嚥下時の動態に対する摂食嚥下モデル．咀嚼中に食物が口腔と咽頭に存在する事象を説明する．

5期モデル (five stage model)
　生理学的モデルである4期モデルに，先行期を加えたモデル．摂食嚥下運動とその障害を説明しやすくするために開発された．

▶ Chapter 1の確認事項 ▶ eラーニング スライド2対応

1 摂食嚥下の生理的モデルとして4期モデルとプロセスモデルが，臨床的モデルとして5期モデルがあることを押さえる．

▶ Chapter 2　4期モデル → (eラーニング ▶ スライド3, 4)

　4期モデルでは，液体を一口ずつ嚥下する動態を説明している．
　液体嚥下では，液体は，口に含まれたあと，嚥下するまで口腔内でいったん保持され，その後一気に嚥下される．液体の連続嚥下や食物の咀嚼嚥下では食塊の動態が液体の一口嚥下とは異なるため，4期モデルでの生理学的な説明は難しくなる．
　液体バリウムを命令嚥下したときのVFスローモーション映像などをみれば（ 参照 ▶ eラーニング ），

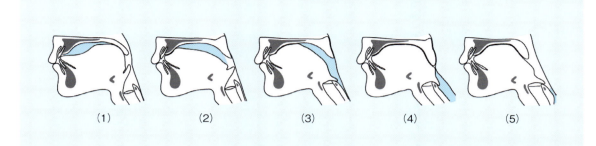

図1 4期モデルの各ステージについて
準備期：口腔内での食塊形成の時期．舌後方部と軟口蓋による口峡部閉鎖により，口腔は咽頭から遮断されている〈上図(1)〉．
口腔期：食物を口腔から咽頭へと送り込む時期．食物が嚥下できる状態になると，舌前方部は口蓋へと接し始め，舌後方部は下降する．同時に，軟口蓋が後方へと挙上し，口峡部は開かれる．食塊は舌と口蓋によって咽頭へと送り込まれていく〈上図(2)〉．
咽頭期：咽頭の神経，筋の連続した活動により食物が咽頭を通過する時期．食塊は咽頭から上食道括約筋部を越え，食道へと送られる〈上図(3),(4)〉．
食道期：食道に入った食塊は，蠕動運動と重力によって下方へと運ばれ，最終的に下食道括約筋部を通り胃へと至る〈上図(5)〉．

　バリウムは，はじめ口腔内に保持されていることがわかる（準備期）．このとき舌と軟口蓋により口峡部が閉鎖されているので，口腔は咽頭から遮断されている．そのため，健常者では，嚥下開始前に食塊が咽頭にたれ込むということはない．いったん嚥下が始まると，バリウムは咽頭を通過し，食道へと運ばれる．
　4期モデルの各ステージは，図1のように示される（先行期は，p.54の5期モデルのコラム参照）．

▶ Chapter 2の確認事項 ▶ eラーニング スライド3, 4対応

1. 液体嚥下を理解する．
2. 4期モデルにおける摂食嚥下様式の特徴を理解する．

▶ Chapter 3　咽頭期の詳細 →（参照▶eラーニング）

▶ Chapter 4　プロセスモデル（図2）→（eラーニング▶スライド6）

　食物を食べるとき，咀嚼された食物は，液体の命令嚥下とは異なる様式で咽頭へと送り込まれる．この食物の流れを4期モデルで表現するには限界がある．そこで，この食物を咀嚼したときの摂食嚥下動態を説明するために，プロセスモデルが提唱された．
　プロセスモデルで表現される咀嚼嚥下の特徴を以下に記す．
・食物を食べるとき，咀嚼された食物は，嚥下の咽頭期が始まる前に，口峡を通って中咽頭，喉頭蓋谷に送り込まれ，集積されていく．
・咀嚼された食物の一部が中咽頭へと送られたあとも，口腔内に残っている食物は引き続き咀嚼される．

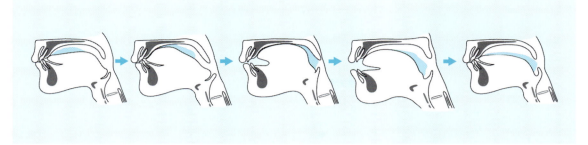

図2 プロセスモデルについて
食物を食べるとき，咀嚼された食物は，嚥下の咽頭期が始まる前に，口峡を通って中咽頭，喉頭蓋谷に送り込まれ，集積されていく．
咀嚼された食物の一部が中咽頭へと送られたあとも，口腔内に残っている食物は引き続き咀嚼される．
つまり，食物が嚥下前に口腔にもありながら，咽頭にも存在する．

・つまり，食物が嚥下前に口腔にありながら，咽頭にも存在する．

Chapter 4の確認事項 ▶ eラーニング スライド6対応

1. プロセスモデルの意味を理解する．
2. プロセスモデルにおける摂食嚥下様式の特徴を理解する．

▶ Chapter 5　プロセスモデルの各期[3] (図3) → (eラーニング ▶ スライド7, 8)

プロセスモデルは，下記の四つのステージに分類される．

① **Stage I transport（第1期輸送）**：捕食された食物を臼歯部へと運ぶ時期．舌が全体的に後方へと動くことによって，舌の上にのせた食物を臼歯部へと運び（舌のプルバック運動），外側へと回転して食物を下顎の咬合面へとのせる．

② **Processing（咀嚼）**：咀嚼により食物を小さく粉砕し，唾液と混ぜ，嚥下しやすい性状へと変化させる時期．下顎の咀嚼運動にあわせて，舌，頰，軟口蓋，舌骨なども周期的に連動しながら動く．

③ **Stage II transport（第2期輸送）**：咀嚼した食物を中咽頭へと送る時期．咀嚼された食物の一部は，嚥下できる性状になると舌の中央にのせられ，舌の絞り込むような動き（舌の「絞り込み（squeeze back）」運動）により中咽頭へと運ばれる（参照 ▶ Chapter 8）．

④ **Pharyngeal swallow（咽頭嚥下）**：食塊を咽頭から上食道括約筋を越え，食道へと送る時期．固形物を咀嚼し嚥下するときの咽頭と喉頭の動きは，液体嚥下時とほぼ同じである．

Chapter 5の確認事項 ▶ eラーニング スライド7, 8対応

1. プロセスモデルの各期の特徴を理解する．

▶ Chapter 6　咀嚼中の器官の動き → (eラーニング ▶ スライド9) 参照 ▶ eラーニング .

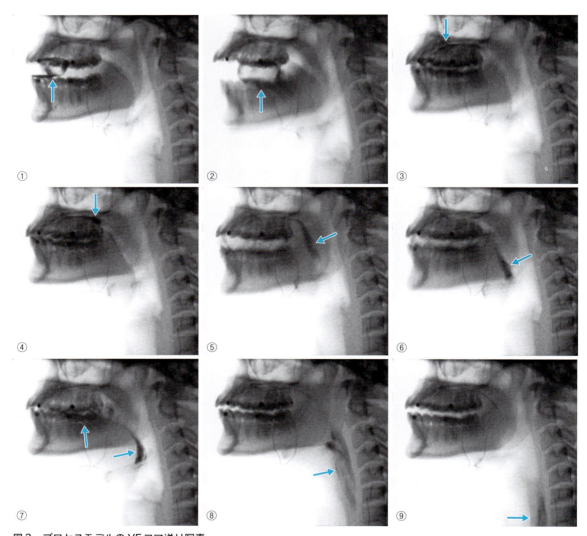

図3 プロセスモデルのVFコマ送り写真
①stage Ⅰ transport開始，②同終了，③咀嚼，④stage Ⅱ transport開始，⑤同途中，⑥食塊集積（喉頭蓋谷），⑦咀嚼＋食塊集積，⑧咽頭期，⑨食道期

▶Chapter 7　プロセスモデルと4期モデルの比較

図4に，プロセスモデルと4期モデルを比較する．

▷ Chapter 7の確認事項

1 プロセスモデルの特徴を理解する．

▶Chapter 8　Stage Ⅱ transport（第2期輸送） → (eラーニング ▶ スライド10, 11)

口にとり込まれた食物は，舌によりすぐに臼歯部へと運ばれ（stage Ⅰ transport：第1期輸送），咀嚼

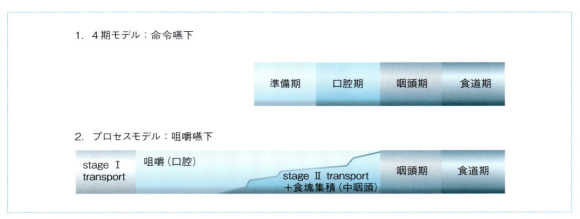

図4　4期モデルとプロセスモデル

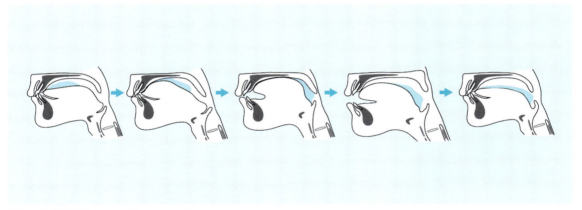

図5　第2期輸送（stage Ⅱ transport）
・咀嚼された食物の一部は，嚥下できる性状になると，舌の中央に集められたあと，口峡を越えて中咽頭へと送り込まれる．この送り込みを第2期輸送（stage Ⅱ transport）と呼ぶ．
・第2期輸送は，閉口中に起こる．舌の前方部が最初に上顎前歯の裏側の硬口蓋に接触する．咀嚼された食塊を中咽頭へと絞り込むように，舌−口蓋の接触領域は徐々に後方へと拡大していく〈舌の「絞り込み（squeeze back）」運動〉．
・第2期輸送は，おもに舌の絞り込み運動によるため，重力は必要としない．
・第2期輸送は咀嚼中に間歇的に起こり，送り込まれた食塊は，その後の咀嚼中，中咽頭の舌背部と喉頭蓋谷部に集積される．口腔に残っている食物は引き続き咀嚼され，さらなる第2期輸送により，中咽頭に集積される．

が開始される．咀嚼された食物の一部は，嚥下できる性状になると舌の中央に集められたのち，口峡を越えて中咽頭へと送り込まれる．この送り込みを stage Ⅱ transport（第2期輸送，図5）とよぶ．

Stage Ⅱ transport は，閉口したあとに起こる．舌の前方部が最初に上顎前歯の裏側の硬口蓋に接触する．咀嚼された食塊を中咽頭へと絞り込むように，舌−口蓋の接触領域は徐々に後方へと拡大していく（舌の「絞り込み（squeeze back）」運動）．

Stage Ⅱ transport は，おもに舌の絞り込み運動によるため，重力は必要としない．第2期輸送は咀嚼中に間歇的に起こり，送り込まれた食塊は，その後の咀嚼中，中咽頭の舌背部と喉頭蓋谷部に集積される．口腔に残っている食物は引き続き咀嚼され，さらなる第2期輸送により，中咽頭に集積される．

Chapter 8の確認事項 ▶ eラーニング スライド10, 11対応

1. 第2期輸送の運動様式を理解する.

▶ Chapter 9　液体と固体同時摂取（2相性食物摂取）時の食物の咽頭への進入様式 → (eラーニング ▶ スライド12)

固体と液体を同時に摂取したときには，食塊は嚥下前に高率に下咽頭へと送り込まれる[7]．

学会HPに掲げている動画をみると，咀嚼中は口峡部は閉じていないので，固形成分を口腔内で咀嚼している間に，液体成分は重力の影響で下咽頭へと流れていくことがわかる（参照 ▶ eラーニング）．しかし，よつばい位にして重力の影響を取り除いた状態で食べると，中咽頭までは食物は送り込まれるが，下咽頭までは流れていかない．つまり，固体と液体を同時に摂取したときの送り込みには，舌による能動的な送り込みと重力により流れ込みの両方が関与している．特に，下咽頭までのたれ込みには，重力が大きく影響を及ぼしている．

Chapter 9の確認事項 ▶ eラーニング スライド12対応

1. 混合物嚥下時の特徴を理解する.

参考 REFERENCE

5期モデルの各ステージについて

　5期モデルは4期モデルを援用し，それに先がけた「先行期」を加えて，摂食嚥下を食物認知から区分けした臨床的モデル．そのステージは，下記の五つに分類される．

先行期：食物を口にとり込むまでの段階．

準備期：口腔内での食塊形成の時期．舌後方部と軟口蓋による口峡部閉鎖により，口腔は咽頭から遮断されている．舌が食塊を保持している．

口腔期：食物を口腔から咽頭へと送り込む時期．食物が嚥下できる状態になったら，食物を保持していた舌は，前方部から口蓋へと接し始め，舌後方部は下降する．同時に，軟口蓋が後方へと挙上し，口峡部は開かれ，食塊は舌と口蓋によって絞り込まれるように咽頭へと送り込まれていく．

咽頭期：咽頭の神経，筋の連続した活動により食物が咽頭を通過する時期．食塊は咽頭から上食道括約筋部を越え，食道へと送られる．

食道期：食道に入った食塊は，蠕動運動と重力によって下方へと運ばれ，最終的に下咽頭括約筋部を通り胃へと至る．

（松尾浩一郎）

文献

1) Leopold NA, Kagel MC：Dysphagia-ingestion or deglutition？：a proposed paradigm. Dysphagia, 12 (4)：202-206, 1997.

2) Palmer JB, Rudin NJ, Lara G, Crompton AW：Coordination of mastication and swallowing. Dysphagia, 7 (4)：187-200, 1992.

3) Matsuo K, Palmer JB：Anatomy and physiology of feeding and swallowing：normal and abnormal. Phys Med

Rehabil Clin N Am, 19（4）：691-707, 2008.
4）松尾浩一郎，Palmer JB：摂食・嚥下のプロセスモデル：生理学と運動学．摂食・嚥下リハビリテーション，第2版，才藤栄一，向井美惠監修，医歯薬出版，東京，62-77, 2007.
5）松尾浩一郎，目谷浩通，Mays KA, Palmer JB：摂食中における軟口蓋の動きと下顎運動の連動性の検討．日摂食嚥下リハ会誌，12（1）：20-30, 2008.
6）Mioche L, Hiiemae KM, Palmer JB：A postero-anterior videofluorographic study of the intra-oral management of food in man. Arch Oral Biol, 47（4）：267-280, 2002.
7）Saitoh E, Shibata S, Matsuo K, Baba M, Fujii W, Palmer JB：Chewing and food consistency：effects on bolus transport and swallow initiation. Dysphagia, 22（2）：100-107, 2007.

§3 原因と病態

第1分野 摂食嚥下リハビリテーションの全体像
3―原因と病態

6 摂食嚥下各期の障害

Lecturer ▶ 飯田貴俊
北海道医療大学歯学部
摂食機能療法学分野教授

学習目標 Learning Goals

- 摂食嚥下の期（stage）と相（phase）について理解する．
- 摂食嚥下各期の障害（原因と病態）がわかる．

▶ Chapter 1　摂食嚥下の臨床モデルにおける期（stage）と相（phase）について（図1）→（eラーニング▶スライド2）

　前章等で述べられているとおり，摂食嚥下は5期モデルで表現される．これは古典的な嚥下モデルである4期モデルに先行期を加えた臨床理解のためのモデルである．摂食嚥下の運動生理の理解には4期モデル（液体）とプロセスモデル（咀嚼），臨床モデルとしては5期モデル，と割り切って考えるとよい．

　また，組織・臓器の嚥下運動を示す期（stage）のほかに，食塊のある場所や動きを示す相（phase）という表現がある．期と相は健常者の液体指示嚥下ではほぼ一致するが，咀嚼嚥下や摂食嚥下障害患者ではずれが生じる．ただし海外の文献ではphaseをstageと同様に扱っている場合もあるので注意が必要である．

▶ Chapter 1の確認事項 ▶ eラーニング スライド2対応

1. 以下の定義を理解する．
   ・期（stage）：組織・臓器の嚥下運動を示す．
   ・相（phase）：食塊のある場所や動きを示す．
2. 期と相は，咀嚼嚥下や摂食嚥下障害患者においてずれが生じることを理解する．

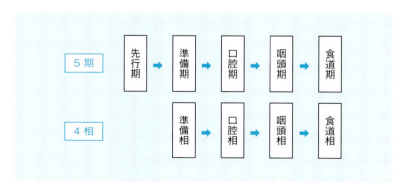

図1　摂食嚥下の臨床モデルにおける期（stage）と相（phase）について
期（stage）：嚥下運動（臓器の動き）
相（phase）：食塊のある場所

表1　先行期に必要な機能・役割

- 覚醒状態・注意・食欲が正常である
- 食物の認知（視覚・嗅覚・触覚など）
- 摂食行為のプログラミング（意図・計画・実施）
- 姿勢のコントロール
- 上肢の運動制御

Chapter 2　先行期（認知期）：視覚・嗅覚・触覚などにより食物を認知し，口へ運ぶ（表1） → （eラーニング▶スライド3）

　先行期は食物を認知し，何をどのように食べるかを決め，摂食行動を開始する段階である．目でみて，においを嗅いで，食具や手で食物を触れ，食器などの音を聞いて食物の情報をインプットする．この際に十分に覚醒していることが重要である．そして認知した情報から，空腹感を感じ，食欲が湧いて，どういった順序で何をどれくらい食べようという摂食行為のプログラミングが行われる．このプロセスのなかで唾液や胃液の分泌が促され，摂食行動が実施される．

Chapter 2の確認事項 ▶ eラーニング スライド3対応

1. 先行期の特徴を理解する．

Chapter 3　先行期の障害（表2） → （eラーニング▶スライド4, 5）

　各期の障害について例を挙げる．摂食嚥下障害の症状はバリエーションが豊富であり，すべて網羅することは困難であるので，いくつか挙げる例をもとに患者の状態がどの期の障害に該当するか判断する参考にしてほしい．

① 脳血管障害後遺症や外傷性脳損傷，認知症等により覚醒不良，意識障害，注意の異常などが生じると取り込み動作の開始困難や摂食行為の中断がみられる．
② 脳血管障害後遺症や長期の経管栄養，薬剤の影響等により空腹感や食欲，食思の異常が生じ摂食できない場合もある．
③ 脳血管障害後遺症等により半側空間無視があると，食事を目の前に並べられても半分しか食べない，といった現象が生じる．
④ 大脳有意半球の障害で現れやすい観念失行は，道具の使用手順がわからなくなり，食具の使用が困難になることがある．
⑤ 摂食行為のプログラミング異常は認知症でしばしばみられ，勢いよく食べてしまう「つめ込み食べ」や食事を食べない「拒食」，食物でないものを口に運んでしまう「異食」などがある．
⑥ 神経筋疾患等にみられる姿勢反射障害や振戦などの不随意運動による摂食動作の不具合も先行期の障害に含まれる．

Chapter 3の確認事項 ▶ eラーニング スライド4, 5対応

1. 先行期の代表的な障害像を理解する．

表2　先行期の障害

①覚醒不良，意識障害，注意の異常	・取り込み動作の開始困難，摂食行為の中断
②空腹感，食欲，食思の異常	・食欲低下，食思不振
③空間認知障害	・半側半分の食物を食べ残す（半側空間無視） ・失認
④失行	・口腔顔面失行，嚥下失行，観念失行（食器を使えない）
⑤摂食行為のプログラミング異常	・つめ込み食べ ・拒食（食べなくなる） ・異食（食物でないものを食べようとする）
⑥姿勢コントロール・上肢運動制御の異常	・食事姿勢の不良 ・食事を食具で把持できない ・口にもっていく動作ができない（振戦，動作時ミオクローヌス等による）

表3　準備期に必要な機能・役割

・口腔内に食物を入れるため，適切に開口する
・食物が口に入ったら口唇を閉鎖し，食物が口腔外に流出しないよう保持する
・（液体の場合）吸入する．（小児の場合）吸啜する
・（固形物の場合）前歯でかじり取る．舌や歯，口唇で保持する
・食物の物性を認知・判断する（第二の認知期）
・咀嚼運動により，食物を破砕し，唾液と混ぜ合わせて嚥下しやすい形態（食塊）にする
・舌と口蓋で押しつぶす
・味や食感を感じ，楽しむ
・舌をカップ状にして舌背と口蓋の間に食塊をセットする

Chapter 4　準備期（口腔準備期）：食物を口に取り入れて，咀嚼，食塊形成し舌背上に食塊を保持して嚥下の準備をする（表3）

→（eラーニング ▶ スライド6）

　準備期は食物を嚥下しやすい状態にして飲み込む準備をする時期である．食物を口のなかに取り込み，固形物を歯で破砕し，舌で押しつぶし，舌と歯で引きちぎる等の動作をしながら唾液と混ぜ合わせて，飲み込みやすいドロドロの状態（食塊）にしたあと，舌背上に食塊を集めて保持し，嚥下する直前の状態にする．このときに食物の物性を認知し口のなかの操作方法を調整する．また，味や食感を楽しむのもこの時期である．

▶ Chapter 4の確認事項 ▶ eラーニング スライド6対応

1 準備期の特徴を理解する．

Chapter 5　準備期の障害（表4）→（eラーニング ▶ スライド7）

① 口唇の閉鎖不全が顔面神経麻痺等の影響で生じた場合，咀嚼時に口唇が閉鎖できず取り込んだ食物が口腔外に流出する．

表4　準備期の障害

①口唇閉鎖不全	・顔面神経麻痺等により口唇が閉鎖できず取り込んだ食物が口腔外に流出する ・唾液が流れ出る(流涎)
②口腔内感覚の障害	・口腔内に取り込んだ食物の物性を判断できない ・食物の味や食感を楽しめない
③咀嚼障害	・(器質性)歯や歯周組織の異常・欠損 ・(機能性)舌や頬,口唇の運動・感覚障害 ・唾液分泌不良 →食塊形成ができない.
④舌背上に食塊をセットできない	・後の口腔期に影響する

表5　口腔期に必要な機能・役割

・舌と軟口蓋で口腔後方を閉鎖(舌-口蓋閉鎖)し,適切なタイミングでそれを開放する
・舌前方が硬口蓋前部にしっかり接触して固定される(アンカー機能)
・舌が前方・中央・後方の順に挙上し口蓋に接触していくことで舌背上の食塊が搾り出されるように咽頭に送り込まれる

② また,口腔内の感覚障害により口腔内に取り込んだ食物の物性を正しく判断できないと,咀嚼運動の細かな調節や送り込みのタイミングの調整に不具合が生じる.
③ 咀嚼障害は,歯や顎など器質的な欠損による障害と,舌や頬で食物を操作する機能的な障害に二分される.
④ 嚥下の直前には食塊を舌背上に集め舌をカップ状にしてそこに収めるが,これが十分に行えない場合は後の口腔期に負の影響を与える.

Chapter 5の確認事項 ▶ eラーニング スライド7対応

1 準備期の代表的な障害像を理解する.

Chapter 6　口腔期(口腔送り込み期):舌や軟口蓋により適切なタイミングで食塊を咽頭に送り込む (表5) → (eラーニング ▶ スライド8)

　口腔期では,舌と軟口蓋により食塊を保持した状態から,適切なタイミングで食塊を咽頭に送り込む.他章で学んだように,液体と固形物では咽頭への送り込みのタイミングが異なる.まず,舌と軟口蓋で口腔後方を閉鎖し,適切なタイミングでそれを開放しつつ,舌が前方・中央・後方の順に挙上し口蓋に接触していくことで舌背上の食塊が咽頭へ搾り出され,食塊の咽頭への送り込みが成立する.この際,先に舌前方が硬口蓋全部にしっかり接触して固定されている(アンカー機能)ことが重要となる.

Chapter 6の確認事項 ▶ eラーニング スライド8対応

1 口腔期の特徴を理解する.

表6 口腔期の障害

①舌-口蓋閉鎖不全による早期咽頭流入	・舌-口蓋閉鎖不全により口腔内保持が行えず，嚥下反射が起こる前にだらだらと咽頭に食塊が流れる（早期咽頭流入）．そのまま気管に流入すると嚥下前誤嚥となる
②舌の機能低下や器質的欠損等による舌の搾送運動不全	・食塊を咽頭に送り込めない ・嚥下後に口腔内（舌や口蓋）に食物残渣が認められる

表7 咽頭期に必要な機能・役割

- 舌-口蓋接触による咽頭前方部の閉鎖
- 嚥下反射惹起
- 喉頭挙上
- 鼻咽腔閉鎖（軟口蓋とPassavant隆起による）
- 食道入口部開大（輪状咽頭筋の弛緩）
- 喉頭閉鎖（声門閉鎖，喉頭前庭部の閉鎖，喉頭蓋の反転）
- 咽頭収縮

▶ Chapter 7　口腔期の障害（表6）→（eラーニング▶スライド9）

① 食塊後方の舌-口蓋閉鎖不全により口腔内保持が十分に行えないと，嚥下反射が起こる前に咽頭に食塊が流れ込んでしまう早期咽頭流入がみられる．

② 脳血管障害後遺症や，筋萎縮性側索硬化症等による舌の機能低下もしくは舌癌術後等による器質的欠損により舌の搾送運動に不具合が生じると，食塊を咽頭に送り込めなくなり，嚥下後に口腔内に食物残渣がみられるようになってしまう．

▶ Chapter 7の確認事項 ▶ eラーニング スライド9対応

1. 口腔期の代表的障害像を理解する．

▶ Chapter 8　咽頭期：咽頭に到達した食塊を食道へ送り込む（表7）
→（eラーニング▶スライド11）

　食塊が咽頭に移送されると，喉頭挙上が起き嚥下反射が惹起され食塊は一瞬で咽頭を通過する．咽頭通過は通常0.5秒以内で終わるが，誤嚥や窒息等生命の危険につながるイベントが生じやすい非常に重要な段階である．

　喉頭挙上が起きたあとは，軟口蓋挙上と咽頭後壁（側壁）のPassavant隆起による鼻咽腔閉鎖が生じ，次に輪状咽頭筋の弛緩と輪状軟骨の前方移動によって食道入口部が開大し，そして声門閉鎖，喉頭前庭部の閉鎖，喉頭蓋の反転を含む喉頭閉鎖が生じる．そして咽頭収縮によって咽頭内の食塊は食道内へと送り込まれる．この間咽頭前方部は常に舌-口蓋接触によって閉鎖されている．

▶ Chapter 8の確認事項 ▶ eラーニング スライド11対応

1. 咽頭期の特徴を理解する．

表8 口腔期の障害

①舌-口蓋閉鎖不全による咽頭-口腔逆流	
②嚥下反射惹起不全	⇒嚥下前誤嚥につながる
③喉頭挙上不全	⇒⑤⑥⑦につながる
④鼻咽腔閉鎖不全による鼻腔逆流	
⑤食道入口部開大不全	⇒咽頭残留　⇒嚥下後誤嚥につながる
⑥喉頭閉鎖不全	⇒嚥下中誤嚥
⑦咽頭収縮不全	⇒咽頭残留　⇒嚥下後誤嚥につながる

・喉頭までは侵入するが，声門を越えない場合は喉頭侵入と呼び，誤嚥の一歩前の段階である
・誤嚥物による気道閉塞をきたすと，食物による窒息となる

Chapter 9　咽頭期の障害 (表8) → (eラーニング▶スライド12)

① 舌や口蓋の機能的もしくは器質的な障害により口腔と咽頭腔の閉鎖ができない場合には咽頭－口腔逆流が生じる．
② 延髄梗塞後の球麻痺等で嚥下反射惹起不全が生じると，嚥下前誤嚥につながる場合がある．
③ 舌骨上筋群のサルコペニア等によって喉頭挙上が不十分になると，食道入口部開大不全や喉頭閉鎖不全，咽頭収縮不全の原因となる．
④ 筋萎縮性側索硬化症や軟口蓋の器質的欠損などにより鼻咽腔閉鎖不全が生じると，食塊の鼻腔逆流がみられる．球麻痺症状による輪状咽頭筋の弛緩不全や，③の喉頭挙上不全によって食道入口部開大不全が起きると咽頭残留が生じ，場合によっては嚥下後誤嚥につながる．反回神経麻痺等によって声帯閉鎖不全が生じるといった喉頭閉鎖不全では嚥下中誤嚥がみられる場合がある．重度のサルコペニア等によって咽頭収縮不全が生じると咽頭残留が生じ，これも嚥下後誤嚥につながる．喉頭までは侵入するが声門を越えない場合は喉頭侵入と呼び，誤嚥の一歩手前の段階である．また，誤嚥物による気道閉塞をきたす場合，「食物による窒息」となり生命の危険にさらされる．

Chapter 9の確認事項 ▶eラーニング スライド12対応

1 咽頭期の代表的障害像を理解する．

Chapter 10　食道期：食道に入った食塊を蠕動運動によって胃まで運ぶ
（表9，図2）→ (eラーニング▶スライド14)

　食道には三つの生理的狭窄部位が存在する．第1狭窄部は食道起始部であり食道入口部である．上部食道括約筋によって安静時は閉鎖し，食塊が通過するときに開大する．第2狭窄部は大動脈，気管支と食道が交差するために生じる．第3狭窄部は横隔膜貫通部であり下部食道括約筋による狭窄である．食塊が第1狭窄部を通過して食道に送り込まれると，上部食道括約筋は逆流を防ぐために閉鎖する．続いて蠕動運動によって食塊は胃へと運ばれる．食塊の移送には重力と腹腔内圧も関与している．食塊が第3狭窄部を通過すると胃食道逆流を防止するため下部食道括約筋が収縮し食道は閉鎖される．

表9 食道期に必要な機能・役割

・食塊を円滑に胃まで移送する(蠕動運動)
・食道-咽頭逆流，胃食道逆流を防ぐ(上部・下部食道括約筋)

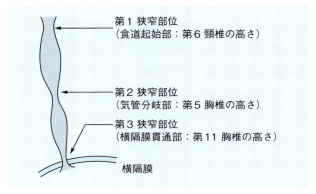

図2 食道の三つの生理的狭窄部位

表10 食道期の障害

①食道の蠕動運動の障害	・食道内の逆流や食道残留がみられる場合がある
②上部食道括約筋の閉鎖不全	・食塊や消化液が咽頭に逆流する
③下部食道括約筋の閉鎖不全	・食道裂孔ヘルニア等によって胃食道逆流が生じる
④下部食道括約筋の弛緩不全	・食道アカラシア等により，食道から胃への通過障害が生じ，食道内逆流や食道残留が生じる
⑤食道の器質的狭窄	・食道がんや食道第2狭窄部の開大不全(大動脈肥大等による)により通過障害が生じる
⑥気管食道瘻	・瘻孔により食道から食塊が気管に漏出する．第1胸椎から第3胸椎の部位にみられる場合が多い

Chapter 10の確認事項 ▶ eラーニング スライド14対応

1 食道期の特色を理解する．

▶ Chapter 11　**食道期の障害** (表10) → (eラーニング ▶ スライド15)

① 脳血管障害，神経筋疾患，食道疾患，加齢等で食道の蠕動運動の障害が起こり，食道内の逆流や食道残留がみられる場合がある．
② 上部食道括約筋の閉鎖不全では食塊や消化液が咽頭に逆流し，場合によっては誤嚥を引き起こす．逆流物の誤嚥による誤嚥性肺炎をMendelson症候群と呼ぶ．胃液によって酸性になった液体は肺に大きな傷害を与えるため少量の誤嚥でも重篤な肺炎になりうる．
③ 下部食道括約筋の閉鎖不全で胃食道逆流を生じ炎症をきたすと，逆流性食道炎となる．
④ 食道アカラシア等により，食道から胃への通過障害が生じ，食道内逆流や食道残留が生じる．
⑤ 食道がんや食道第2狭窄部の開大不全(大動脈肥大等による)で通過障害が生じる場合がある．
⑥ 気管食道瘻では瘻孔により食道から食塊が気管に漏出する．第1胸椎から第3胸椎の部位にみられる場合が多い．

Chapter 11の確認事項 ▶ eラーニング スライド15対応

1. 食道期の代表的障害像を理解する．

文献

1) 松尾浩一郎, Palmer JB：摂食嚥下のモデル．才藤栄一, 植田耕一郎監修：摂食嚥下リハビリテーション, 第3版, 医歯薬出版, 東京, 96-105, 2016.
2) 薛　克良：摂食嚥下各期の障害. 日本摂食嚥下リハビリテーション学会編集, 日本摂食嚥下リハビリテーション学会eラーニング対応　第1分野　摂食嚥下リハビリテーションの全体像, ver.3, 医歯薬出版, 東京, 46-49, 2020.
3) 藤島一郎：基礎的知識. 聖隷嚥下チーム, 嚥下障害ポケットマニュアル, 第4版, 医歯薬出版, 東京, 2-15. 2018.
4) 藤島一郎, 谷口　洋：脳卒中の摂食嚥下障害. 第3版, 医歯薬出版, 東京, 19-28, 2017.
5) 植田耕一郎：脳卒中患者の口腔ケア, 第2版, 医歯薬出版, 東京, 67-73, 2015.
6) Logemann JA著, 道　健一, 道脇幸博監訳：Logemann摂食・嚥下障害. 医歯薬出版, 東京, 64-101, 2000.
7) Groher M, Crary M著, 高橋浩二監訳：Groher & Craryの嚥下障害の臨床マネジメント. 第3版, 医歯薬出版, 東京, 27-31, 2023.
8) 日本嚥下障害臨床研究会編集：嚥下障害の臨床—リハビリテーションの考え方と実際. 第2版, 医歯薬出版, 東京, 12-44, 2008.

第1分野
摂食嚥下リハビリテーションの全体像
3―原因と病態

7 原因疾患：脳卒中

Lecturer ▶ 重松　孝[1]，藤島一郎[2]

1) 浜松市リハビリテーション病院えんげセンター長
2) 浜松市リハビリテーション病院特別顧問

学習目標 Learning Goals

- 摂食嚥下障害の原因として脳卒中が重要であることがわかる
- 脳卒中とは何かがわかる
- どういう機序で摂食嚥下障害が起こるかわかる
- 偽性球麻痺と球麻痺の違いがわかる
- 偽性球麻痺の特徴がわかる
- 球麻痺の特徴がわかる

▶ Chapter 1　**摂食嚥下障害の原因** → (eラーニング ▶ スライド2)

　摂食嚥下障害はさまざまな原因で起こるが，脳卒中は最も頻度が高く重要な疾患である（**表1**）．脳卒中による摂食嚥下障害は，摂食嚥下にかかわる器官や組織の機能的な動きや感覚が悪くなる（機能的原因）ために生じる．その他の摂食嚥下障害の原因としては，解剖学的な構造の異常による通路障害を伴う器質的原因や，拒食，うつ状態などによる心理的原因がある．また，表1には薬剤，医療処置などにより生じる医原性嚥下障害を別に取り上げている．これは異なる視点からみた大切なものであり，このなかには機能的障害と器質的障害の両者がある．脳卒中後の摂食嚥下障害が長期に及ぶと廃用性の萎縮や炎症により構造の異常による通路障害（食道入口部の開大不全など）を伴ってくる場合もある．

 Chapter 1の確認事項 ▶ eラーニング スライド2対応

1 摂食嚥下障害の原因を整理する．

表1　摂食嚥下障害の原因

1. 機能的原因（運動・感覚障害）
   - 脳卒中：脳梗塞，くも膜下出血，脳内出血など
   - 神経筋疾患，代謝性疾患など
   - 意識障害
2. 器質的原因（通路障害）
   - 外傷，腫瘍，術後など
3. 心理的原因
   - 拒食，心身症，うつ病，うつ状態など
4. 医原性嚥下障害
   - 薬剤
   - 手術・挿管による浮腫や神経損傷など
   - 経管栄養チューブの圧迫

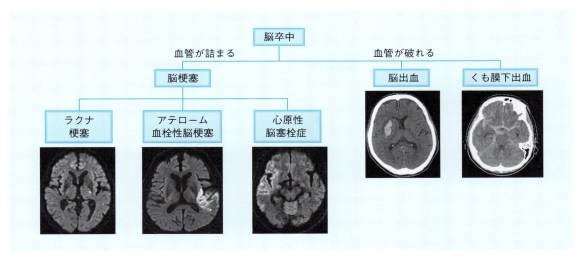

図1 脳卒中 (stroke) の病型分類

Chapter 2　脳卒中 (stroke) の病型分類 (図1) → (eラーニング ▶ スライド3)

　脳卒中は英語ではstrokeのことで,「突然病気になって倒れる」という意味である. 日本でも秋田などでは脳卒中になることを「あたる (中る)」と表現している. 脳血管障害 (疾患) (cerebrovascular disorder) とほぼ同義である. 脳卒中には血管が切れる出血と, 血管が詰まる梗塞がある. 出血は脳の実質内に出血する脳出血または脳内出血と呼び, 好発部位としては被殻, 視床, 小脳, 橋などがある. また, 脳の表面に出血するくも膜下出血がある. くも膜下出血は脳動脈瘤が破裂するのがおもな原因である. 脳梗塞には動脈硬化に伴う脳血栓と呼ばれ, 比較的太い血管が詰まるものはアテローム血栓性脳梗塞と呼び, 穿通枝と呼ばれる細い血管が詰まるものはラクナ梗塞と呼ぶ. また, 心臓などから血栓が飛んできて脳の血管に詰まる病態を塞栓と呼び, 心房細動が原因となり左心房内にできた血栓が血流を流れて脳血管を詰める脳梗塞を心原性脳塞栓症と呼ぶ. 病態によって, 治療法や再発予防の薬剤などが異なる.

Chapter 2の確認事項 ▶ eラーニング スライド3対応

1. 脳卒中の定義を理解する.
2. 急性期脳卒中の症状を理解する.

Chapter 3　脳卒中の症状 → (eラーニング ▶ スライド4)

　脳卒中はいくつかのタイプがあるが, 症状は「脳のどの部分が損傷されるか」で決まってくる. 脳梗塞であっても脳出血であっても, 同じ脳の場所が損傷されれば似たような症状を呈する. 逆に同じ脳梗塞であっても損傷される脳の場所が異なれば症状も異なる.
　また, 脳卒中急性期の症状は「経時的に変化する」ことに特に注意しなければならない. この原因は図2に示したように病変部位が広がったり, 脳浮腫が生じたりするためである. また, 同じ病変部位であっても, 症状は年齢や基礎疾患のなどとともに全身の血圧や呼吸状態, 電解質などの影響を受ける.

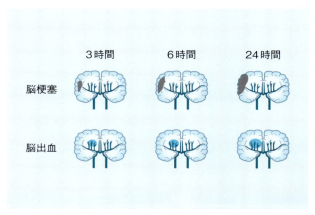

図2　脳卒中の症状
・病巣の部位や大きさにより多彩な症状
・急性期は変化(悪化，改善)する
・全身状態により影響を受ける
・損傷を受けた脳は再生しない→後遺症
・ある程度の機能回復はある

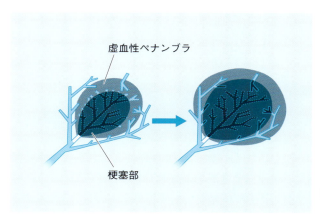

図3　梗塞部と浮腫および虚血性ペナンブラの経時的変化

　損傷を受けた脳は基本的に再生しないため，後遺症がみられるが，治療やリハビリテーションである程度の機能回復が期待できる．図3の虚血性ペナンブラと呼ばれる部分は，細胞自体は生きているが機能が停止していると考えられ，この部分の回復は十分期待できる．最近は脳に可塑性があることが報告され，適切なリハビリテーションで，これまで回復されないと信じられていた失われた機能がある程度，再獲得できるとされている．

Chapter 3の確認事項 ▶eラーニング スライド4対応

1. 脳卒中の症状は，脳の損傷部位によって決まることを理解する．
2. 急性期には症状が経時的に変化すること，また症状は年齢や全身状態に影響を受けることを理解する．
3. 治療やリハビリテーションにより，ある程度の回復は期待できることを理解する．

▶Chapter 4　脳卒中の画像診断 →(eラーニング▶スライド5)

　脳病変の画像診断は，おもに頭部CT検査と頭部MRI検査がある．脳梗塞の診断には頭部MRI検査が有用であり，特に超急性期の梗塞巣の診断には拡散強調画像が用いられる．拡散強調画像では発症後1時間以内の脳梗塞が高信号として描出される．図4左の画像は右頭頂葉脳梗塞を認めた頭部MRI検査

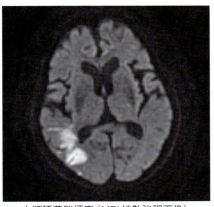
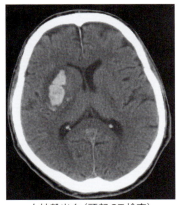

図4 脳卒中の画像診断
・脳梗塞の診断には頭部MRI検査が有用
・梗塞巣は拡散強調画像で発症後1時間以内に高信号で描出
・出血（脳出血，くも膜下出血）の診断には頭部CT検査が有用

右頭頂葉脳梗塞（MRI拡散強調画像）　　右被殻出血（頭部CT検査）

の拡散強調画像である．白く光ってみえる部分が病巣であり，高信号と表現する．

また，頭部CT検査は脳出血やくも膜下出血などの出血病変の診断に有用である．下の右図の画像は右被殻出血を認めた頭部CT検査画像である．ここで脳内に白くみえる部分が血腫の病巣であり，高吸収域と表現する．また出血の周囲がやや黒くみえるが，これが低吸収域と表現され，血腫の周囲の浮腫を反映している．

Chapter 4の確認事項 ▶ eラーニング スライド5対応

1. 画像診断として，おもに頭部CT検査と頭部MRI検査があることを理解する．
2. 脳梗塞には頭部MRI検査が，脳出血やくも膜下出血は頭部CT検査が有用となる．

▶ Chapter 5　脳卒中による摂食嚥下障害 (表2) → (eラーニング ▶ スライド6)

　脳卒中における摂食嚥下障害の罹患率や有病率を知ることはきわめて大切であるが，これを調べることはきわめて難しい．健常者でもむせることはあるし，むせない誤嚥という問題もある．何をもって摂食嚥下障害と診断するかという診断基準が曖昧であるためである．日本における摂食嚥下障害の頻度を質問紙[1]を用いて調査したところ，65歳以上の健常高齢者1,313人（男性575人，女性738人）で13.8％に嚥下の問題がある[2]と考えられる．

　脳卒中による摂食嚥下障害は，発症からいつ頃を問題にするかで頻度が異なる．急性期（発症から1週間以内）の患者では30％〜100％（報告による）と高いが，回復期や生活期患者の場合，5〜10％とされる．

　「脳卒中急性期の症状は経時的に変化する」ことを，しっかり認識しておく必要がある．特に発症から1週間以内は慎重に対処しなければならない．入院したときにスクリーニングで問題ないから常食を出したところ次第にむせるようになり，3日目に肺炎になったというケースは多い．肺炎になるとリハビリテーションが遅れ，生命予後にも悪影響を及ぼす．発症3，4日は脳浮腫が出やすいため注意が必要である．脳浮腫が生じると意識障害が出ることがあり，意識障害があると摂食嚥下障害を高率に合併する．特に再発例（両側障害），高齢者は「危険が常にある」と思って対処することが大切である．

　また，回復期や生活期の脳卒中では再発や遅発性摂食嚥下障害に注意が必要である．遅発性摂食嚥下

表2 脳卒中による摂食嚥下障害

- 頻度：急性期(30-100%),回復期・生活期(5-10%)
- 急性期の症状は<u>経時的に変化する</u>
    1週間以内の<u>病変拡大</u>,<u>脳浮腫</u>が出る時期は注意
    意識障害では高率に合併(詳細後述)
    再発例(両側損傷),高齢者は特に注意して対応する.
- 回復期・生活期は再発,遅発性嚥下障害に注意
- 病態,症状,機能予後は病巣の部位や大きさに依存する.
    病態：<u>一側大脳病変</u>,<u>球麻痺</u>,<u>偽性球麻痺</u>
    症状：初発例＜再発例,テント下病変＞テント上病変
    など

表3 一側大脳病変による摂食嚥下障害

- 大きな大脳病変→意識障害を合併
    意識障害があれば摂食嚥下障害は必発→原因検索
- 小さな病変では,多くが一過性→摂食嚥下障害の予後は良好
    摂食嚥下障害と関連する病変：内包,島回
    大脳病変左右差(Robbinsら)：左側損傷→口腔期,右側損傷→咽頭期
- 摂食嚥下障害の発生機序・回復課程
    嚥下の優位半球(Hamdyら)
    片側性脳卒中では対側の機能障害(diaschisis)が一過性に生じる.

障害については後述する.

　他の症状と同様に,脳卒中の摂食嚥下障害も病態,症状,機能予後は病巣の部位や大きさに依存する.急性期脳卒中の摂食嚥下障害には意識障害や薬物(特に抗てんかん薬や向精神薬など)の影響があることを念頭に置く必要がある.急性期の意識障害を脱すると,脳卒中による摂食嚥下障害には以下の三つのタイプに分類される.一側大脳病変,偽性球麻痺,球麻痺の三つである.以後,個別に取り上げて解説する.

▶ Chapter 5の確認事項 ▶ eラーニング スライド6対応

1. 脳卒中に伴う摂食嚥下障害の,病期と発現頻度の関係を理解する.
2. 摂食嚥下障害は,脳卒中の病巣の部位,大きさにより病態,症状,機能予後がかわる.
3. 摂食嚥下障害は一側大脳病変,偽性球麻痺,球麻痺の三つのタイプに分類される.

▶ Chapter 6　一側大脳病変による摂食嚥下障害 (表3) → (eラーニング ▶ スライド7)

　一側性の大きな大脳病変では,意識障害が起こる.意識障害は脳幹網様体の機能が低下するために起こると考えられるが,嚥下の中枢は延髄の脳幹網様体にあり,機能低下はすなわち嚥下機能の低下と直結する.意識障害があれば意識という機能だけでなく,口腔・咽頭などの狭義の嚥下機能も低下し,摂食嚥下障害があると考えるべきである.意識が悪いときは生体の反応が悪い.これは,誤嚥したときにむせにくいということにもつながる.意識障害は変動するので摂食直前の状態を必ずチェックするとともに,摂食中にも意識レベルが低下する場合があることを念頭に対処しなければならない.たとえば,食事はじめは覚醒していたが食事中に傾眠傾向になることを時々経験する.この場合は食物が消化管に入ることで消化管の血流が増加して脳血流が低下したり,副交感神経が優位になったりすることなどが原因であるが,誤嚥していたり,嚥下性の無呼吸が原因で血中酸素飽和度が低下したための意識障害という可能性もあり得る.意識レベルが低下したら,その原因を突き止め適切に対処しなければならない.

　意識障害を伴わない一側性の大脳病変の場合は,急性期に嚥下障害を呈する報告がある.この場合,嚥下障害のタイプは偽性球麻痺を呈するが,嚥下障害は比較的軽く,多くは予後良好で,数か月もの長期に及ぶことはない.頭部MRI検査を用いた嚥下障害と脳病変との関連を調べた研究では,内包や島回が嚥下障害と関連すると多くの報告がある.

　Robbinsら[3]は大脳半球の損傷の左右差に着目し,左半球損傷では咀嚼は口腔期が障害され,右半球

表4 球麻痺による摂食嚥下障害（Wallenberg症候群）

- 代表疾患：延髄外側症候群（Wallenberg症候群）
    - 脳梗塞全体の2％，嚥下障害を50-60％に合併
    - 延髄：嚥下に関わる重要構造物（疑核，孤束核，CPG）が集約
    - →球麻痺は延髄の嚥下中枢が損傷
- 摂食嚥下障害の特徴
    - ①食塊通過左右差
    - ②食道入口部開大不全
    - ③嚥下反射消失（パターン障害）

損傷では咽頭反射時間が遅れ，水分の誤嚥・侵入が多いと述べている．

脳卒中の摂食嚥下障害の発生機序・回復過程については，Hamdyら[4]は急性期脳卒中の1/3に嚥下障害があり，嚥下障害があると死亡率も高いが，多くの嚥下障害は1週間以内に改善すると述べている．彼らは嚥下に関して大脳半球の優位側を想定し，一側性の大脳病変でも優位半球が損傷されると嚥下障害が長期化すると述べている．

一側性の大脳病変では遠隔効果（diaschisis，ダイアスキーシス）により対側大脳の脳機能が低下している可能性があり[5]，この機序を想定すると通常の偽性球麻痺の病態として摂食嚥下障害が起こると考えることもできる．いずれにしても意識障害を伴わない一側性の大脳病変で摂食嚥下障害が起こりうる．

Chapter 6の確認事項 ▶eラーニング スライド7対応

1. 大きな一側大脳病変では意識障害が起こること，意識障害は嚥下中枢のある脳幹網様体の機能低下に起因すること，そのため意識障害が起こると嚥下機能の低下に直結することを理解する．
2. 意識障害を伴わない一側大脳病変では，偽性球麻痺を呈し摂食嚥下障害が認められることがある．ただし，障害は比較的軽く，予後良好であることが多い．

▶Chapter 7 　球麻痺による摂食嚥下障害（表4）→（eラーニング▶スライド8）

球麻痺は延髄の嚥下中枢（疑核，孤束核，Central Pattern Generator；CPG）が損傷される．CPGに関しては嚥下運動のパターン形成をする器官ではっきりとした局在はまだ確定していないが，網様体に存在すると考えられている．

球麻痺の摂食嚥下障害をきたす代表的疾患として，延髄外側症候群，Wallenberg症候群がある．教科書的な症状としてはめまいや嚥下障害，Horner（ホルネル）症候群などとともに失調症状があり，舌（舌下神経）と四肢の運動麻痺がないこと，また，顔面交代制の温痛覚障害を呈するが深部感覚・触覚（後索）が保たれるいわゆる感覚解離が特徴である．脳梗塞全体の2％と割合は少ないが，摂食嚥下障害を50〜60％に合併する．摂食嚥下障害の臨床で遭遇する例ではADLが自立していることが多い．特徴は咽頭壁や披裂・声帯などの動きに左右差（病巣側の動きが不良）がみられることである．特に食道入口部（輪状咽頭筋）の開大に左右差があり，梨状窩に泡沫状の唾液が充満していることがしばしばある．食塊の咽頭通過側の左右差がリハビリテーションに大きな影響を与える[6]．また，嚥下反射がなかなか起こらず，起こってもパターンが乱れてくる．

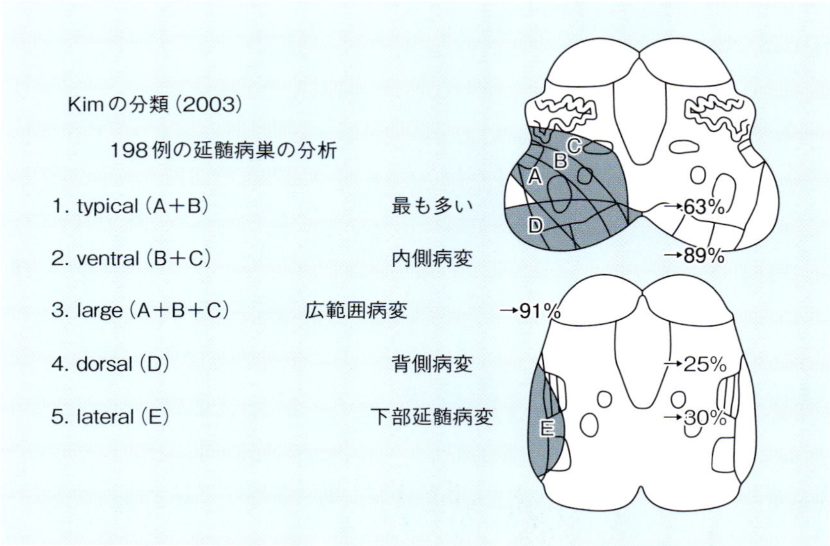

Kimの分類（2003）
198例の延髄病巣の分析

1. typical（A＋B）　　最も多い
2. ventral（B＋C）　　内側病変
3. large（A＋B＋C）　広範囲病変
4. dorsal（D）　　　　背側病変
5. lateral（E）　　　　下部延髄病変

→63%
→89%
→91%
→25%
→30%

図5　Wallenberg症候群の延髄病変と摂食嚥下障害との関連

Chapter 7の確認事項 ▶ eラーニング スライド8対応

1. 球麻痺の病態を理解する．
2. 球麻痺の摂食嚥下障害をきたす代表的疾患を理解する．

Chapter 8　Wallenberg症候群の延髄病変と摂食嚥下障害との関連
→（eラーニング▶スライド9）

　Kim[6]は，Wallenberg症候群の延髄病変と嚥下障害との関連を検討した（図5）．水平方向では typical, ventral, large, dorsal, lateral, unclassifiable の6typeに，水平方向を rostral, middle, caudal に分類し，摂食嚥下障害との関連を検討した．摂食嚥下障害は延髄上部病変の典型もしくは腹側寄り，延髄中間病変の典型か大きな病変で嚥下障害が発生しやすく，延髄下部病変では摂食嚥下障害は出現しにくい．また，水平方向と垂直方向の分布では垂直方向の広がりが特に重要であると報告している．

Chapter 8の確認事項 ▶ eラーニング スライド9対応

1. Wallenberg症候群と摂食嚥下障害の相関を理解する．

Chapter 9　球麻痺のVE，VF →（eラーニング▶スライド10）

　Eラーニングには典型的な Wallenberg症候群の VE，VF を提示した（参照▶eラーニング）．

表5 偽性球麻痺による摂食嚥下障害

・皮質延髄路などの経路における両側性病変
・原因疾患：脳卒中が最多．特に脳梗塞に多い
　　多発性ラクナ梗塞，虚血性白質病変が原因として多い
・嚥下障害の特徴
　　口腔準備期，口腔期の障害
　　嚥下反射の開始遅延
　　嚥下反射のパターンは保たれる
　　しばしば高次脳機能障害を合併

Chapter 10　偽性球麻痺による摂食嚥下障害（表5）→（eラーニング▶スライド11）

　偽性球麻痺は延髄に対する両側の上位運動ニューロンの損傷で起こる．臨床的に遭遇する重度の偽性球麻痺では口腔期障害が目立ち，重度の構音障害を伴うことが多い．嚥下反射は起こりにくいがアイスマッサージ後の空嚥下やKポイント刺激で嚥下反射が誘発され，パターンは正常である．口腔期・咽頭期の各器官や組織の動きに左右差はない．重度では口腔期の障害が目立ち，構音障害も顕著である．構音障害の特徴は痙性で努力性である．口唇の閉鎖が不良で流涎も目立つ．

Chapter 10の確認事項 ▶ eラーニング スライド11対応

1. 偽性球麻痺の原因，症状を理解する．
2. 偽性球麻痺の摂食嚥下障害の特色を理解する．

Chapter 11　偽性球麻痺の3分類（図6）→（eラーニング▶スライド12）

　偽性球麻痺のおもな損傷部位は大脳皮質，大脳基底核，脳幹部（中脳，橋）などで三つに分類される．病変部位によって症状の特徴が異なる．皮質・皮質下型では損傷される脳の部位に応じて失語症や半側空間無視などの高次脳機能障害を合併することが多く，高次脳機能障害が嚥下障害の予後に影響することもしばしばある．内包・大脳基底核病変型は大脳基底核，内包，視床がおもな病巣となる．ラクナ梗塞や脳出血，白質病変の好発部位であり，多発病変により偽性球麻痺を認める．内包は皮質脊髄路（錐体路）や皮質延髄路などの運動野から生じた線維のほとんどが通る．視床は感覚系に関わる多くの中継核が存在する．偽性球麻痺のなかでも脳血管性パーキンソン症候群を合併することが多い．脳幹型は延髄より上部の脳幹病変で偽性球麻痺を認める．中脳や，橋の大きな病変では急性期に嚥下反射がまったく起こらず球麻痺と同じ病態となる．これは脳幹全体が機能不全に陥るためと考えられる．急性期を脱すると延髄が損傷されていないので偽性球麻痺に移行する．

Chapter 11の確認事項 ▶ eラーニング スライド12対応

1. 偽性球麻痺のおもな損傷部位は大脳皮質，大脳基底核，脳幹部（中脳，橋）の三つであることを理解する．
2. 病変部位によって症状が異なること，また各病変型の特徴を理解する．

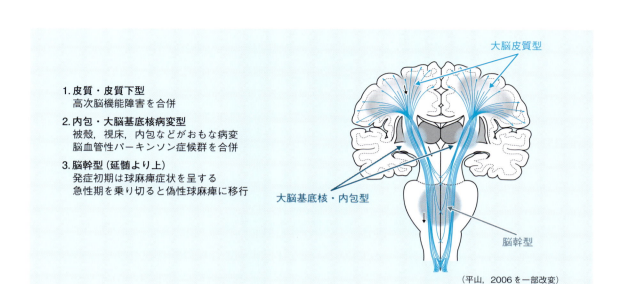

1. 皮質・皮質下型
   高次脳機能障害を合併
2. 内包・大脳基底核病変型
   被殻，視床，内包などがおもな病変
   脳血管性パーキンソン症候群を合併
3. 脳幹型（延髄より上）
   発症初期は球麻痺症状を呈する
   急性期を乗り切ると偽性球麻痺に移行

（平山，2006 を一部改変）

図6　偽性球麻痺の3分類

Chapter 12　偽性球麻痺の VE, VF →（eラーニング▶スライド13）

Eラーニング参照．

Chapter 13　偽性球麻痺と球麻痺の特徴（まとめ）→（eラーニング▶スライド14）

表6は偽性球麻痺と球麻痺の特徴の違いをまとめたもので，病変部位については，偽性球麻痺は両側上位運動ニューロン，球麻痺では延髄の疑核，孤束核，CPGになる．おもな原因は，偽性球麻痺では多発脳血管障害であり，球麻痺ではWallenberg症候群である．嚥下反射は，偽性球麻痺では誘発されにくいが，反射が起これはパターンは正常で，喉頭挙上も十分で，左右差もない．ただし，喉頭挙上時間は延長する．偽性球麻痺の特徴として嚥下と構音の乖離（Speech-Swallow Dissociation；SSD）がある．以前から現象としては知られていた[10]が，嚥下造影，嚥下内視鏡，嚥下圧などでその特徴が報告され[11]球麻痺との重要な鑑別点としてあげられる．球麻痺では嚥下反射が起こらないか，起こっても弱い．CPGの障害によりパターンの異常があり，喉頭挙上は不十分，咽喉頭の動きや咽頭通過などの左右差を認める．嚥下圧はどちらも低下するが，偽性球麻痺は嚥下圧の低下がわずかである．構音障害はどちらも認めるが，偽性球麻痺では痙性の構音障害を認める一方，球麻痺では弛緩性の構音障害を認める．また，高次脳機能障害は大脳半球を損傷される偽性球麻痺で認める．また，唾液については，流涎や唾液でむせる所見を認める．球麻痺では常時ティッシュに唾液を吐き出す場面をしばしば認める．

▶ Chapter 13の確認事項 ▶ eラーニング スライド14対応

1　偽性球麻痺，球麻痺それぞれの特徴を理解する．

表6 偽性球麻痺と球麻痺の特徴（まとめ）（藤島，2010．[9]）を一部改変）

	偽性球麻痺	球麻痺
病害部位	両側上位運動ニューロン	延髄：疑核，孤束核，CPG
主な原因	多発性脳血管障害	Wallenberg症候群
嚥下反射 　パターン 　喉頭挙上 　左右差	誘発されにくい 正常 十分（挙上時間は延長） なし	起こらないか弱い 異常 不十分 あり
嚥下圧	わずかに低下	低下
構音障害	痙性	弛緩性
高次脳機能	障害あり	障害なし
唾液	流涎，唾液でむせる	常時ティッシュに吐き出す
SSD[※]	あり	なし

※ SSD：Speech-Swallow Dissociation

表7 脳卒中 遅発性摂食嚥下障害（Shimizu A, Fujishima I, et al.：J Am Med Dir Assoc, 2021）

n = 165	Delayed dysphagia (n = 18)	Early dysphagia (n = 147)	P-value
Age, years	83.3 ± 6.5	78.6 ± 8.1	0.019
Sex (female), n	12 (66.7)	76 (51.7)	0.318
mRS at onset, points	4 [4-5]	4 [4-5]	0.52
Days from onset to rehabilitation	22 [12-33]	27 [19-39]	0.047
BMI, kg/m^2	20.3 ± 3.6	21.6 ± 3.6	0.151
MNA-SF, points	4 [3-5]	6 [4-8]	0.021
FIM, points	42.5 [32-57]	41 [26-65]	0.979
FOIS, points	5 [5-5]	5 [2-5]	0.029
Mean tongue strength at admission, kPa	8.3 ± 7.6	15.8 ± 9.4	0.003
Handgrip strength, kg			
-Male	11.1 ± 6.5	19.8 ± 11.2	0.019
-Female	6.9 ± 5.5	10.7 ± 7.6	0.053
SMI, kg/m^2			
-Male	5.24 ± 1.05	6.17 ± 0.88	0.017
-Female	4.26 ± 0.72	4.91 ± 1.02	0.035

165人の脳卒中の摂食嚥下障害患者のうち18人（10.9％）が急性期以降に発症した→サルコペニアに注意．

▶Chapter 14　脳卒中　遅発性摂食嚥下障害（表7）→（eラーニング▶スライド15）

　脳卒中では急性期以降に発生するDelayed Dysphagiaと呼ばれる病態がある．脳卒中急性期に摂食嚥下障害を認めなかった症例のうち，再発等のイベントが存在しなくても約10％に回復期以降に摂食嚥下障害を来していた．また，その特徴は栄養，筋力・筋肉量が有意に低下を認めており，遅発性摂食嚥下障害にはサルコペニアの病態が関与していると考えられた．そのため，脳卒中後できるかぎり早期よりのサルコペニア対策を実施することが重要である．

▶ Chapter 14の確認事項 ▶eラーニング スライド15対応

1. 脳卒中ではDelayed Dysphagiaが生じうること，またその特徴を理解する．
2. 脳卒中後はできる限り早期からサルコペニア対策を実施する．

文 献

1) 大熊るり，他：摂食嚥下障害スクリーニングのための質問紙の開発．日摂食嚥下リハ会誌，6(1)：3-8，2002.
2) Kawashima K, Motohashi Y, Fujishima I：Prevalence of dysphagia among community-dwelling elderly individuals as estimated using a questionnaire for dysphagia screening. Dysphagia, 19(4)：266-271, 2004.
3) Robbins J, Levine RL, Maser A, et al：Swallowing after unilateral stroke of the cerebral cortex, Arch Phys Med Rehabil, 74(12)：1295-1300, 1993.
4) Hamdy S, Rothwell JC, Aziz Q, et al.：Organization and reorganization of human swallowing motor cortex：implications for recovery after stroke. Clinical Science, 99(2)：151-157, 2000.
5) 藤島一郎：脳卒中の摂食嚥下障害．第2版，医歯薬出版，東京，1-18，1998.
6) 谷口 洋，藤島一郎，大野友久，他：ワレンベルグ症候群における食塊の下咽頭への送り込み側と食道入口部の通過側の検討．日摂食嚥下リハ会誌，10(3)：2249-2256，2006.
7) Kim JS：Pure lateral medullary infarction：clinical-radiological correlation of 130 acute, consecutive patients. Brain, 126：1864-1872, 2003.
8) 平山惠三：神経症候学Ⅰ．2版，文光堂，東京，776-791，2006.
9) 藤島一郎：疾患別嚥下障害．医歯薬出版，東京，2-10，2022.
10) 藤島一郎：目でみる嚥下障害（DVD付）嚥下内視鏡・嚥下造影の所見を中心として．医歯薬出版，東京，78-79（動画あり），2006.
11) Miyagawa S, Yaguchi H, Kunieda K, Ohno T, Fujishima I：Speech-swallow dissociation of velopharyngeal incompetence with pseudobulbarpalsy：evaluation by high-resolution manometry, Dysphagia, 39(6)：1090-1099, 2024. doi：10.1007/s00455-024-10687-1. Epub 2024 Mar 16.

第1分野
摂食嚥下リハビリテーションの全体像
3—原因と病態

8 原因と病態：神経筋疾患

Lecturer ▶ 野﨑園子

関西労災病院脳神経内科

学習目標 Learning Goals

- 神経筋疾患の摂食嚥下障害出現様式の違いを理解する
- 代表的疾患（下記）の摂食嚥下障害の特徴を理解する
  筋萎縮性側索硬化症，パーキンソン病，
  筋ジストロフィー，重症筋無力症

▶ Chapter 1　神経筋疾患の摂食嚥下障害の出現様式による分類

→（eラーニング▶スライド2）

1）比較的急速に進行するタイプ

　筋萎縮性側索硬化症（ALS）が代表的な疾患であるが，病気の進行が比較的速く，進行に伴って摂食嚥下障害が出現し，数か月の経過で経口摂食が困難になる場合がある．

2）緩徐に進行するタイプ

　病気の進行が比較的遅く，摂食嚥下障害の出現や進行も遅いタイプ．筋疾患である筋ジストロフィー，神経変性疾患ではパーキンソン病（PD）やその類縁疾患である進行性核上性麻痺，脊髄小脳変性症あるいは多系統萎縮症などがある．経過は数年から十数年にわたる．

3）摂食嚥下障害が変動するタイプ

　病態が，時間経過や治療の経過で変動し，それに伴って，摂食嚥下障害が出現したり，改善したりする．日内変動のある重症筋無力症（MG），病巣が経過とともに変化する多発性硬化症（MS），on時間とoff時間が出現するパーキンソン病が特徴的である．

▶ Chapter 1の確認事項 ▶ eラーニング スライド2対応

1　摂食嚥下障害の出現様式ごとに，神経筋疾患を整理する．

▶ Chapter 2　筋萎縮性側索硬化症（ALS）とその摂食嚥下障害

→（eラーニング▶スライド3, 4, 5〈動画〉）

1）ALSの疾患概念

　ALSは，50歳から60歳代に好発する運動ニューロン病である．運動神経のみを障害する原因不明の疾患で，感覚神経や自律神経には障害があまりみられず，認知機能障害（前頭側頭葉障害）は20％程度，約5％は家族歴がある．数年の経過で進行し，呼吸管理をしなければ呼吸不全や誤嚥性肺炎で死亡することが多いが，長期の経過をたどる場合もある．初発は四肢遠位筋の筋力低下が多いが，摂食嚥下障害

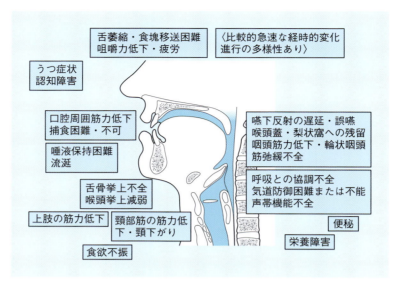

図1　ALSの摂食嚥下障害

や構音障害などの球症状や呼吸筋麻痺が初期症状のこともあり，進行や症状には多様性がある．

2）摂食嚥下障害の経時的変化

　摂食嚥下障害は，咽頭期障害から始まる場合と口腔期障害から始まる場合がある．症状を訴え始めた頃から，すでに食事摂取量の低下，栄養状態の低下になっていることがあるので，栄養状態と食形態の評価はALSの診断後ただちに開始する．口腔期障害では，舌の萎縮，構音障害で症状の変化を捉えやすいが，咽頭期障害は症状の変化がわかりにくいので，嚥下造影など定期的な嚥下評価を行う必要がある．進行すると，口腔期も咽頭期もともに重度に障害される．

3）摂食嚥下障害への対策

　適切な食形態を指導することは，優先事項である．

　病初期は患者自身が気づかない嚥下障害もあるので，診断時に評価が必要である．ALSは，頭頸部の筋力低下が重症化するまでは代償法が有効な場合がある．口腔周囲筋や舌などは廃用症候群対策が有効なこともある．みずからの経験で，無意識に代償的テクニックを体得していることもあるので，その適否を正しく評価することが，患者との信頼関係の構築に重要である．咽頭期障害では，食道入口部を開きやすくする頸部肢位である頭部伸展頸部屈曲位や，喉頭閉鎖を促し，咽頭残留を減らすように働く頭部屈曲位，口腔期障害では，頭部伸展位などが応用される．VFなどで評価しながら行う．

4）呼吸不全との関係

　ALSでは呼吸筋麻痺による呼吸不全の進行と，摂食嚥下障害の進行は並行する．呼吸不全がみられたら，摂食嚥下障害を自覚していなくても嚥下の評価を行うことが大切である．さらに呼吸との関連で，％肺活量（％FVC，参照▶Chapter 3）が50％以下になると胃瘻造設時の合併症のリスクが高くなることが知られており，早めの対応が求められる．

5）摂食場面への介入

食事動作や摂食姿勢への配慮が重要である．自己摂食の希望が強いこともあるが，体幹や頸部の筋力低下による座位保持困難や頭位保持困難，上肢筋力低下に対応する上肢装具や食具の工夫などに対応しなければならない．医療チームで連携し，適時適切な自助具や装具の検討が重要になる．

> Chapter 2の確認事項 ▶ eラーニング スライド3，4，5（動画）対応
>
> 1 ALSの特徴を理解する．
> 2 早期から進行期におけるALSにおいての摂食嚥下障害への対応を理解する．

▶ Chapter 3　患者ごとの呼吸機能と摂食嚥下障害の経時的な経過
→（eラーニング▶スライド4）

図2は症例ごとに，%肺活量（%FVC）と摂食嚥下障害の変化の関係をみたものである．嚥下の重症度は，ALS機能評価尺度（ALS functional rating scale）の嚥下パート（sw）で評価している（表1）．呼吸不全と摂食嚥下障害は並行して悪化していることがわかる．ちなみにALS機能評価尺度は，ALS症例の機能障害を把握するために米国で作成された評価尺度で，言語，嚥下，身のまわりの動作，歩行などの項目で構成される．

▶ Chapter 4　ALSの栄養管理 →（eラーニング▶スライド7）

病初期の体重減少が独立した生命予後予測因子であるため，病初期からの栄養管理が重要である．体重減少の原因は多要因であり，1）骨格筋量の減少，2）摂食嚥下障害によるエネルギー摂取量低下，3）進行期の呼吸障害による呼吸筋エネルギー消費の増大，4）疾患特異的なエネルギー代謝の亢進などがある．

栄養状態は，摂食嚥下障害の初期より不良のことがあるが，患者自身の自覚に乏しく摂食嚥下障害による栄養障害に気づかないことも少なくない．定期的な栄養評価を行い，体重減少を最小限に抑えるよう栄養管理をする．

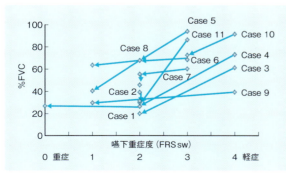

表1　ALS FRS sw

4	正常に近い食生活
3	嚥下困難感の自覚
2	食形態を変更
1	経口摂取がきわめて困難
0	経口摂取不可

図2　ALS患者の呼吸機能と摂食嚥下障害の経時的変化
（野﨑ほか，臨床神経43（3）：77-83，2003）
呼吸不全と摂食嚥下障害は並行して悪化する．

経口摂取が不十分の場合は，早期に補助栄養を導入する．

一方，進行期で呼吸管理を行っている時期にはエネルギー消費は減少していくため，それまでの投与カロリーを続けているとエネルギー過多になるので注意する．

胃瘻造設は造設時の呼吸不全悪化のリスクがあるので，%FVC 50%以上が望ましい．造設にあたっては，早めに患者・家族に利点とリスクを十分に説明し，造設を希望する場合は呼吸不全が進行する前に行う．

▶ Chapter 4の確認事項 ▶ eラーニング スライド7対応

1. 栄養不良は生命予測因子である．
2. 早期に栄養評価と栄養管理を開始する．
3. 呼吸管理下の進行期には，投与栄養過多に注意する．
4. 胃瘻造設時の注意点を理解する．

▶ Chapter 5　ALSの摂食嚥下障害対策 →（eラーニング ▶ スライド5〈動画〉, 6, 7）

・早期発見と早期介入

早期には患者が自覚していない，ないしは，受容できていないこともある．摂食嚥下機能に適した食生活であるかどうかを評価する．

・残存機能を活かすリハビリテーション

廃用症候群への効果がある．代償嚥下を取り入れる．

・定期的評価

診断直後からの嚥下・栄養・呼吸の定期的評価が，早期発見につながる

・誤嚥対策

誤嚥を繰り返す場合は，誤嚥防止術も考慮し，患者に説明する．

・摂食嚥下障害の受容を助ける

摂食嚥下障害の進行速度に，患者の受容が追いつかないことも多いことを理解し，受容を助ける．

・味わう楽しみを尊重

味わうだけで飲み込まないなどの方法も提案．メンタルケアが重要となる．

・次に起こる障害を予測

一歩先に必要な対応を早めに提案し，補助栄養やPEG，呼吸管理の併用，誤嚥防止術などについて，患者の理解，受容を援助する．

・呼吸不全管理と摂食嚥下障害対策

呼吸不全により摂食嚥下機能が低下することもあり，対処方法についての相互の関連に十分注意する．呼吸管理を希望しない場合は，患者の意思に沿う呼吸へのサポートを行う．

▶ Chapter 5の確認事項 ▶ eラーニング スライド5（動画），6, 7対応

1. ALSの摂食嚥下障害対策のポイントを理解する．
2. ALSの症状および進行は患者ごとに多様であるので（ALS診療ガイドライン2023参照），脳神経内科の医師と連携し，個別の患者に見合う対策を行う．

Chapter 6　パーキンソン病（PD）の摂食嚥下障害

→（eラーニング ▶ スライド8, 9, 10〈動画〉）

1）PDの疾患概念

　PDは，中脳黒質の神経細胞が変性し，この神経細胞が産生するドーパミンが欠乏して，基底核（線状体）の機能障害をきたし，無動，安静時振戦，強剛，姿勢反射異常などをきたす緩徐進行性の神経変性疾患である．脳血管障害を除く神経筋疾患のなかでは最も患者数が多く，また，薬剤治療が有効な場合も多い疾患である．

　治療薬は，レボドパ製剤（ドーパミン前駆物質）やドーパミン受容体作動薬，抗コリン剤以外にも作用機序の異なる治療薬がある．レボドパ製剤の長期にわたる使用で効果が不安定になることもあり，他の薬剤でもさまざまな副作用に注意が必要である．最近では，非経口治療薬として貼付剤や注射薬も症状に応じて使用されている．薬物療法で改善不十分な日内変動とジスキネジアに対して，手術療法も考慮される．

　発症は50〜60歳代で，内服治療を行いながら転倒による骨折，認知症，肺炎，自律神経障害などの合併症がコントロールできれば，平均寿命は一般のそれとほぼ同じである．

　PDは，口腔・咽頭筋を含めた全身の筋強剛や無動・寡動により動作の開始が遅れ，また，協調性のある運動ができなくなり，嚥下反射も低下するため，摂食嚥下障害は高率に発症する．

2）PDの摂食嚥下障害

　摂食嚥下障害は，病期や重症度とはあまり関連しない場合もあり，症状が片側性でADLが自立している病初期（Hoehn-Yahr分類1度）でもみられることがある．

　しかし，摂食嚥下障害の自覚に乏しく，不顕性誤嚥も少なくないので注意が必要となる．

　障害は，摂食嚥下の各期にわたり多様である（図3，eラーニング スライド8参照）．食事動作があまり障害されていない場合や摂食嚥下障害がそれほど重度でない場合でも，低栄養状態になっていることがある．

　また，パーキンソン病治療薬自体が摂食嚥下障害に影響を及ぼすこともある．Wearing-off（薬の血

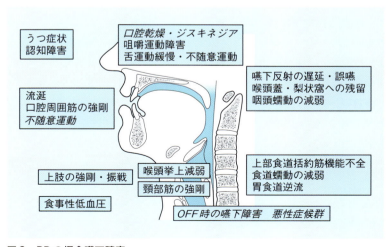

図3　PDの摂食嚥下障害
抗パーキンソン病薬の副作用に関連するものは斜体表記

中濃度が変動し，運動機能に変動がみられること）や on-off 現象（服薬時間に関係なく，突然動けなくなったり急に動き出したりすること）では，食事時間帯に「off 状態」にならないように注意する．

食事性低血圧（自律神経障害のため，食事中または食後2時間以内に収縮期血圧が20 mmHg 以上低下）のため，ときには失神することがあり，食物窒息の原因となる．機能外科治療により，他の運動症状が改善しても，嚥下障害については有意な改善のエビデンスはまだない．呼気加速（咳）が低下しており，その程度は誤嚥と関連がある．

3）PDにおける多様な障害（図3参照．パーキンソン病治療薬の影響（図3の斜体表記）も含む）

▶ Chapter 6 の確認事項 ▶ e ラーニング スライド 8, 9, 10（動画）対応

1. PDの摂食嚥下障害の特徴を理解する．
2. PDにおける摂食嚥下障害への対応を理解する．

▶ Chapter 7　PDの摂食嚥下障害対策 →（e ラーニング ▶ スライド 11）

PDの運動機能障害のコントロール（投薬・リハビリテーション）を行う．

自覚症状や訴えがなくても，対面診療で摂食嚥下障害の疑いがあれば評価を行い，早期発見に努める．摂食嚥下障害を発見したら，まずは嚥下機能に適した嚥下調整食を提供し，ポジショニングを行う．リズム療法が有効なこともある．

Wearing-off のある場合はパーキンソン病治療薬を食後服薬から食前服薬へ変更し，on 状態になってから摂食するように指導するだけで，摂食嚥下状態が改善することも多い．On 時間を延長させ，on 時間帯に摂食させる努力をする．

内服薬の嚥下が困難なこともあり，咽頭残薬により薬効が得られない可能性もある．経口からの服薬障害の対策として，貼付薬や注射療法も併用する場合もあるが，脳神経内科の担当医に判断を仰ぐ．

食事性低血圧がある場合は窒息のリスクがあるので食事中の監視を十分に行い，食後2時間程度の起立や歩行，場合によっては座位も避ける．

悪性症候群による摂食嚥下障害では，急性期に安易に経口摂取させると誤嚥性肺炎を発症させるので，一時的に経管栄養で乗り切り回復後に嚥下機能を再評価し食事を開始する．

また，長期経過をたどるため廃用症候群への介入が必要であり，継続的なリハプランが求められる．嚥下調整食については，長期に継続できるよう，メニューの工夫や調理法の指導など介護者へのサポートが重要である．さらに長期化に伴う肺炎や栄養障害，経腸栄養剤による合併症への対策が必要である．

機能的外科手術の視床下核脳深部脳刺激法（STN-DBS）などは咽頭期は改善するとの報告がある一方，嚥下障害が改善せず，合併症として嚥下障害が出現するとの報告もある．

▶ Chapter 7 の確認事項 ▶ e ラーニング スライド 11 対応

1. 早期評価の必要性を理解する．
2. Wearing-off のある場合の対応の要点を理解する．
3. 悪性症候群，廃用に対する対処法を理解する．

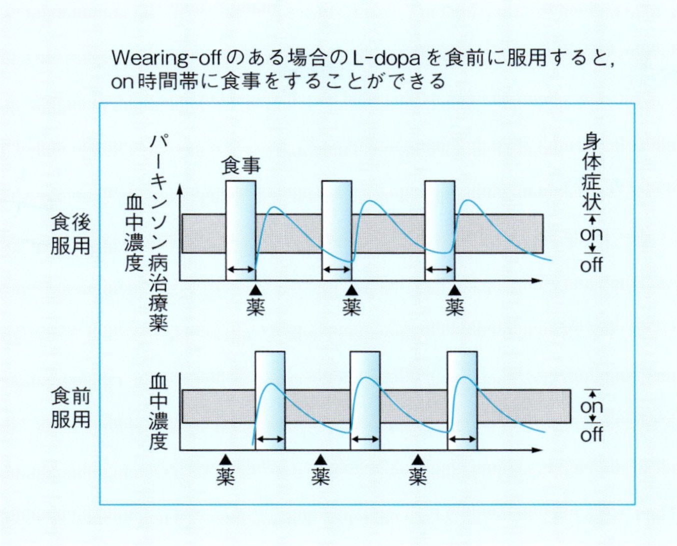

図4 Wearing-offのある場合のL-dopa食前服用と食後服用
(『神経・筋疾患 摂食嚥下障害のおつき合い』[1]より)
L-dopaを食前に服用すると，on状態のときに食事をすることができる．

Chapter 8 Wearing-offのある場合の内服（レボドパ製剤）のタイミング（図4）→（eラーニング▶スライド12）

　食後に服薬すると，off症状の強い（摂食嚥下障害の強い）ときに食事することになり，服薬困難や誤嚥や窒息のリスクがある．
　食前服薬では，on状態（嚥下状態が最もよいとき）時に食事をすることが可能となる場合も多い．

Chapter 9 デュシェンヌ型筋ジストロフィー（DMD）の疾患概念と摂食嚥下障害 →（eラーニング▶スライド13, 14〈動画〉）

　DMDは，筋の細胞骨格タンパクであるジストロフィンの欠損により，筋細胞が変性・壊死をする疾患である．X染色体連鎖遺伝の疾患で，男児に発症する．3歳児健診では歩行の獲得は正常に比し若干遅れる程度であるが，就学前によく転ぶ，走るのが遅い，飛び降りができないなどの症状を呈す．障害は進行し，10歳頃には歩行困難，20歳前後で呼吸不全が出現し，人工呼吸器管理が必要になる．
　摂食嚥下障害の発症は，10歳代に出現する口腔期の異常からはじまり，20歳頃より咽頭期障害が出現する．
　DMDの障害像（図5）は，摂食嚥下では咬合不全，巨舌による咀嚼障害は10歳代より認められ，口腔内の食塊移送障害がみられる．緩徐進行性のため，患者自身が食事に支障を感じるのは，病期が進んでからである．また，障害を認めたくないという患者心理もある．年齢が進むと最終的には咽頭収縮筋力の低下，喉頭挙上不全で誤嚥窒息のリスクが生じてくる．開口障害などは廃用やアライメント異常の要素もあるため，顎関節の可動域訓練や歯科治療で，咬合力が改善するという報告もある．そのほか，体幹筋力の低下で脊柱の側弯が顕著となり，また，座位が困難になり，四肢や近位筋優位の筋力低下で，食事動作が障害される．経過中に呼吸筋も障害され，マスクにより非侵襲的間歇的陽圧呼吸療法（NIV）を開始することが多い．呼吸不全初期では夜間のみ人工呼吸器を装着し日中は外すことができるが，食事中には呼吸に負担がかかりSpO_2が低下することがある．

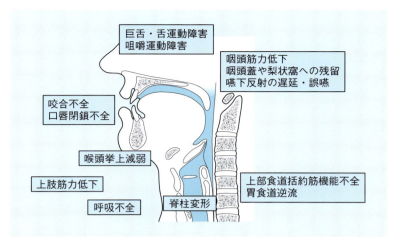

図5 DMDの摂食嚥下障害

> Chapter 9の確認事項 ▶ eラーニング スライド13, 14（動画）対応

1. DMDの特徴を理解する．

> Chapter 10　**DMD摂食嚥下障害対策** → （eラーニング ▶ スライド15）

　DMDでは，10歳代半ばより咬合障害や巨舌など口腔期の異常が出現し，さらに20歳代より咽頭筋力低下により咽頭期障害が出現するので，初期から中期には水分の嚥下は比較的良好であり経腸栄養剤にて補助栄養対策をとる．

　緩徐に進行するため摂食嚥下障害に患者自身が気づきにくいので，注意深い観察が必要である．

　また，脊柱の変形や上肢筋力低下による摂食障害があり，頻拍や体動が目立つときは疲労に注意しポジショニング調整を行う．

　呼吸不全は嚥下状態に影響を及ぼす．呼吸不全初期においては，夜間のみ呼吸器を装着し，日中は外していることが多いが，食事中に呼吸に負担がかかるとSpO_2が低下することがあり，この場合は呼吸器を装着して摂食する，または食事の直前に呼吸器装着により呼吸を整えることが望ましい．

> Chapter 10の確認事項 ▶ eラーニング スライド15対応

1. DMDの初期から中期では，経腸栄養剤で補助栄養対策をとる．
2. 摂食時の障害に対しては，ポジショニング調整で対応する．
3. 呼吸不全は嚥下状態に影響するため，呼吸器を効果的に用いる．

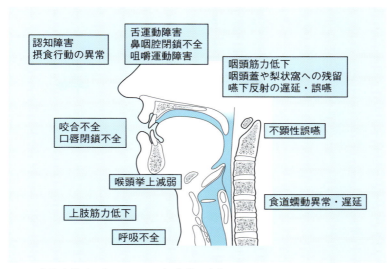

図6 筋強直性ジストロフィーの摂食嚥下障害

Chapter 11 　筋強直性ジストロフィー(DM)の摂食嚥下障害（図6）

→（eラーニング ▶ スライド16, 17〈動画〉）

　DMは成人発症の筋緊張症（ミオトニア）や筋力低下を示す常染色体顕性遺伝の疾患で，そのほか，中枢神経障害・白内障・不整脈・心伝導障害・耐糖能異常・消化管機能異常など全身的に多彩な症状を示す．摂食行動異常などの先行期障害，口唇閉鎖不全，舌運動障害，不正咬合などの咀嚼運動障害，鼻咽腔閉鎖不全などの準備期・口腔期障害，咽頭筋力低下，咽頭残留・誤嚥，嚥下反射遅延などの咽頭期障害，食道拡張・食道蠕動の低下などの食道期障害など，すべてのプロセスが障害されうるが，DMDに比して液体の誤嚥の危険が非常に高いのが特徴である．さらに，口にほおばって食べるなどの摂食行動異常がある場合や摂食嚥下障害の病識が乏しい場合が多いので食事中の窒息のリスクが高く，これらによる呼吸器合併症が予後に影響を及ぼす．

・筋強直性ジストロフィーの摂食嚥下障害の特徴
1) 不顕性誤嚥が多い．
2) 誤嚥・窒息が予後に影響を及ぼしていると考えられる．
3) 病初期より液体の嚥下障害のほうが重篤である（初期のDMDとの違いに注意する）．
4) 摂食行動異常などの先行期障害・不正咬合などの準備期障害・鼻咽腔閉鎖不全などの口腔期障害・咽頭残留誤嚥などの咽頭期障害・食道拡張などの食道期障害など，すべてのプロセスにおいて障害される．

Chapter 11の確認事項 ▶ eラーニング スライド 16, 17（動画）対応

1 DMの特徴と摂食嚥下障害を理解する．

Chapter 12　DMの摂食嚥下障害対策 →（eラーニング▶スライド18）

　前述のとおりDMは不顕性誤嚥が多く，突然の誤嚥・窒息で緊急入院することがあるので平素の教育が必要である．次々に口に頬張るなどの摂食行動異常は窒息リスクを高めるので，在宅療養における指導は重要である．
　また，DMDに比して病初期より液体の嚥下障害のほうが重篤であることに注意する．自立しているようにみえる口腔ケアなども，筋力低下などに伴い不十分になってくるので，定期的チェックが必要である．
　さらに，呼吸不全による影響を見逃さないようにも注意する．

> **Chapter 12の確認事項 ▶ eラーニング スライド18対応**
> 1. DMでは不顕性誤嚥が多いことに注意し，摂食行動の異常は窒息リスクを高めることを理解する．
> 2. DMDに比べ病初期より液体の嚥下障害が重要である．口腔ケアの実施具合，呼吸不全の影響などにも留意する．

Chapter 13　重症筋無力症（MG）の摂食嚥下障害（図7）
→（eラーニング▶スライド19, 20〈動画〉）

　MGは，神経筋接合の自己抗体（抗Ach受容抗体・抗Musk抗体）によって，運動神経の神経伝達が起こりにくくなり，疲労現象がみられる疾患である．日内変動や疲労の影響があり，朝によく夕に悪い，運動を持続すると力が入りにくくなり，休むと改善するといわれているが，ときに夕方や運動後筋力改善がみられることがある．摂食嚥下障害は，嚥下筋力の低下（特に軟口蓋挙上不全・舌骨挙上不全）に

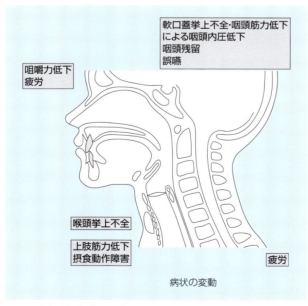

図7　重症筋無力症の摂食嚥下障害
（『DVDで学ぶ神経内科の摂食嚥下障害』より）

より起こる．食事による疲労現象がみられる場合や，摂食時間の後半に咀嚼運動が改善する場合などがあり，症状の寛解・増悪がある．胸腺摘出術後やクリーゼにより，摂食嚥下障害が極めて重篤となることがある．球症状が初発となる病型もある（抗Musk抗体陽性のタイプ）．

嚥下機能検査におけるテンシロンテスト（短時間作用型コリンエステラーゼ阻害剤であるエドロホニウムを静注し，嚥下筋力の改善効果をみる）は，診断と治療方針の立案に有用である．誤嚥はMGの症状をさらに悪化させる．

Chapter 13の確認事項 ▶eラーニング スライド19, 20（動画）対応

1 MGの特徴と摂食嚥下障害を理解する．

▶Chapter 14　MGの摂食嚥下障害対策 →（eラーニング▶スライド21）

変動する病状に合わせたタイムリーな対応と患者教育が必要である．

摂食嚥下の疲労現象を早期に発見する．テンシロンテストが有効なことがある．増悪時やクリーゼのときは，原則として経口摂取は中止する．寛解する可能性があるので，食べることを焦って肺炎・窒息を起こさないよう指導する．また，再開するときの再評価も重要となる．

誤嚥はMGの症状全体を悪化させることに留意する．

嚥下障害悪化の先行サイン（しゃべりにくい，鼻声，のどの違和感，水分が鼻へ逆流など）に注意する．

Chapter 14の確認事項 ▶eラーニング スライド21対応

1 MGの特徴と摂食嚥下障害を理解する．

参考文献
1) 湯浅龍彦，野﨑園子編著：神経・筋疾患 摂食・嚥下障害とのおつきあい—患者とケアスタッフのために．全日本病院出版会，東京，2007．
2) 野﨑園子，市原典子編著：DVDで学ぶ神経内科の摂食嚥下障害．医歯薬出版，東京，2014．
3) 野﨑園子編著：病院と在宅をつなぐ 脳神経内科の摂食嚥下障害—病態理解と専門職の視点—．全日本病院出版会，東京，2018．
4) 日本神経学会監修：筋萎縮性側索硬化症 診療ガイドライン2023．南江堂，東京，2023．
5) 日本神経学会監修：パーキンソン病 診療ガイドライン2018．医学書院，東京，2018．
6) 日本神経学会，日本小児神経学会，国立精神・神経医療研究センター監修：デュシェンヌ型筋ジストロフィー診療ガイドライン2014．南江堂，東京，2014．
7) 日本神経学会監修：筋強直性ジストロフィー診療ガイドライン2020．南江堂，東京，2020．
8) 日本神経学会監修：重症筋無力症／ランバート・イートン筋無力症候群診療ガイドライン2022．南江堂，東京，2022．
9) 日本神経摂食嚥下・栄養学会編：脳神経内科疾患の摂食嚥下・栄養ケアハンドブック 患者・家族とケアスタッフのための手引とQ&A．医歯薬出版，東京，2023．

第1分野
摂食嚥下リハビリテーションの全体像
3―原因と病態

9 頭頸部癌による嚥下障害

Lecturer ▶ 藤本保志

愛知医科大学医学部耳鼻咽喉科・
頭頸部外科学講座教授

学習目標 Learning Goals

- 頭頸部癌の特徴を知る
- 口腔，咽頭，喉頭にできる癌による障害を理解する
- （化学）放射線治療による嚥下障害の特徴を理解する
- （化学）放射線治療による嚥下障害への対策を理解する
- 頭頸部癌の代表的な手術方法を理解する
    - 舌癌・口腔底癌
    - 中咽頭癌
    - 喉頭癌，下咽頭癌
- 頭頸部癌の手術後の嚥下障害の特徴を理解する

▶ Chapter 1　**頭頸部癌の特徴**（表1）→（eラーニング▶スライド2）

　頭頸部癌とは，首から上にできる癌の総称である（脳は除く）．解剖学的部位はそれぞれ近接しているが，多くの臓器が存在し，それぞれが重要な機能をもっている．

　進行癌であっても，手術が可能な場合には5年生存率が高い（たとえば舌進行癌の5年生存率は50～70％：Ⅲ期，Ⅳ期）．そのため，治癒を目標に集学的治療（手術＋放射線治療＋化学療法を組み合わせる治療）が選択されることが多い．治療後の障害への対応が重要で，cancer survivorとしての生活機能，QOLを重視する必要がある．

　頭頸部癌で最も頻度の高い組織型は扁平上皮癌であり，放射線療法では化学療法との併用が進行癌に対して有効であることが実証[1]された．強度変調放射線療法（IMRT）による有害事象の軽減[2]が図られ，陽子線治療[3]や重粒子線治療は非扁平上皮癌や肉腫に対する有力な手段として確立されてきた．

表1　頭頸部癌（head and neck cancer）の特徴

頭頸部癌 ── 首から上にできる癌の総称（脳は除く）
発生部位によって次のように分類される
・鼻・副鼻腔癌（上顎癌，鼻腔癌など），口腔癌（舌癌，口腔底癌など），咽頭癌（上咽頭癌，中咽頭癌，下咽頭癌），喉頭癌，唾液腺癌，甲状腺癌など
生活の質，生活機能に直接関わることが多い
・癌が周囲に浸潤すると，隣接する臓器の働きも障害を受けやすい
・視覚，嗅覚，聴覚，味覚などの感覚器が近接しており，障害を受けやすい
・呼吸，嚥下，音声，構音などの障害を受けやすい
・顔面・頸部の体表に近く，外見上の変化を伴いやすい
進行癌でも手術治療の成績がよい（舌癌：50～70％，Ⅲ，Ⅳ期）
・ただし，術後の機能障害（嚥下機能，音声機能）や外見上の問題が大きい
臓器温存治療として，放射線治療も有力であり，薬物療法（抗癌剤治療・分子標的治療・免疫療法）との併用により成績が向上した
手術治療では機能温存手術（縮小手術）・再建手術が進歩してきた

表2　頭頸部癌による嚥下障害の特徴

治療法により障害が異なる
- 放射線治療による障害
- 手術による障害
- 制御困難な場合（再発，残存）の障害

治療前の障害，腫瘍そのものによる障害
- 大きな腫瘍による気道狭窄，舌運動障害など，腫瘍そのものによって嚥下機能，咀嚼機能，構音機能，呼吸などが脅かされる

"がん"であること
- 生命予後への不安
- 再発への不安：痛みやむくみ，腫れなどについても敏感

　薬物療法では，分子標的薬，免疫チェックポイント阻害薬などとの併用など選択肢が増えた．有害事象も複雑化しているが，摂食嚥下機能に関連する障害が多く，それらに適切に対応しつつ栄養管理することが治療上重要である．
　また，手術も機能を温存すべく縮小手術や再建手術が進歩してきた．

▶ Chapter 1 の確認事項 ▶ eラーニング スライド2対応

1. 頭頸部癌の特性と治療目標の設定について理解する．

Chapter 2　頭頸部癌による嚥下障害の特徴 (表2) → (eラーニング ▶ スライド3)

1）三つの原因

　手術による障害，放射線治療による障害，腫瘍そのものによる障害の三つにわけて整理し，理解する必要がある．

2）栄養障害に留意

　口腔癌や咽頭癌では腫瘍による疼痛や運動障害によって嚥下障害をきたしやすく，誤嚥性肺炎や栄養障害の原因となる．また，下咽頭癌や頸部食道癌では通過障害により治療開始前からすでに栄養障害をきたしている患者は少なくない．栄養状態の評価が治療法選択にしばしば影響し，予後にも影響しうる．治療前の栄養評価，栄養状態の改善と維持が重視される．

3）心理的問題への配慮

　癌治療あるいは癌によって嚥下障害をきたしているが，患者は障害と同時に"がん患者"であることを受け入れなければならない．リハビリテーション中であっても生命への不安，再発の恐れを抱く患者は多く，訓練中の痛みやちょっとした変化も再発ではないかと不安の原因になることもある．

▶ Chapter 2 の確認事項 ▶ eラーニング スライド3対応

1. 頭頸部癌による嚥下障害への対応法を整理する．

表3　頭頸部癌の放射線治療

・頭頸部癌は扁平上皮癌が多く，放射線に感受性が高い組織型である
・臓器温存治療：鼻腔・副鼻腔・咽頭・喉頭などを切除すると，機能障害や形態変化の影響が大きい．臓器を温存するために放射線治療が選択されることが多い
・化学放射線治療：化学療法（シスプラチンに代表される抗癌剤）を併用した放射線治療により，治療成績が向上した
・術後照射：手術のあとで，局所再発や遠隔転移のリスクが高いと判断される場合には術後化学放射線治療が行われる

表4　放射線治療による嚥下障害の病態

・照射線治療の照射野（照射される範囲）にある臓器機能が低下する
・嚥下造影の解析から：口腔通過時間，咽頭通過時間，口腔残留率，OPSE (oro-pharyngeal swallowing efficiency) などが有意に低下（3，6，12か月後）
・化学療法の追加で増悪：放射線治療単独よりも化学療法併用放射線治療では，嚥下障害はより顕著となる
・気道防御：喉頭への放射線治療は喉頭感覚低下をきたし，咳反射減弱がみられ，不顕性誤嚥のリスクが増大する

▶ Chapter 3　頭頸部癌の放射線治療 (表3) → (eラーニング▶スライド4)

頭頸部癌は扁平上皮癌がほとんどである．扁平上皮癌は放射線治療の感受性が高い（よく効くことが多い）ことが特徴である．

特に手術治療では，顔面形態が変わってしまう上顎癌，全摘すると声を失う喉頭癌や下咽頭癌では，臓器温存治療として選択されることが多い．

シスプラチンに代表される抗癌剤を同時併用する化学放射線治療により，治療成績が向上し，広く用いられるようになった．手術を受けた場合であっても，再発や転移のリスクが高いと判断される場合に，術後照射として化学放射線治療が行われる．

 Chapter 3の確認事項 ▶ eラーニング スライド4対応

1 頭頸部癌の放射線治療の特徴について理解する．

▶ Chapter 4　放射線治療による嚥下障害の病態 (表4) → (eラーニング▶スライド5)

頭頸部領域への放射線治療は，嚥下機能に大きく影響する．放射線照射の範囲や線量によって障害の程度は変化するため，治療内容を確認することが望ましい．たとえば，唾液腺（唾液分泌低下[4]），舌（味覚障害），舌・舌根・咽頭壁（筋力低下），喉頭・咽頭（感覚低下[5]，知覚鈍麻）などが複合して嚥下機能を低下させる．嚥下造影の解析から，口腔・咽頭通過時間や残留率などは有意に低下すると報告されている[6]．

化学療法による放射線治療の増感効果（効き目が強くなる）の一方で，嚥下障害や粘膜炎などの有害事象も重症化する[7]．化学療法併用療法の標準的方法はシスプラチン（CDDP）を3週間ごとに投与するものである．腎機能障害，骨髄抑制，嘔気などの有害事象が問題となる．5FUやS1などの併用では粘膜炎が重症化しやすい．また，セツキシマブの併用は重症粘膜炎が避けられない．丁寧な管理が必要である．

Chapter 4の確認事項 ▶ eラーニング スライド5対応

1 放射線治療が嚥下機能にどのように影響するのかを理解する．
2 化学療法併用療法がどのような影響をもたらすかを理解する．

表5 放射線治療による嚥下障害 ── 急性期

有害事象（治療中〜数か月以内）	・口内炎・粘膜炎：避けられない毒性である．30〜70％で重症（グレード3以上）．予防と症状緩和が非常に重要 ・喉頭感覚低下：照射野内の知覚鈍麻・感覚低下は避けられない．気道防御反射の低下が誤嚥性肺炎の原因となる
対　策	・疼痛緩和は麻薬性鎮痛剤も積極的に使用し，放射線治療完遂を目指す． ・胃瘻，経鼻胃管：栄養状態の維持，鎮痛剤等の安定した内服が有効． ・治療後の経管栄養依存，廃用が問題となることがある

表6 放射線治療による嚥下障害 ── 晩期

有害事象（数か月〜数年を経て発症）	・臓器実質細胞数減少，結合織の線維化，血流低下や壊死 ・急性期障害が軽快消失，一定の潜伏期後に発症，不可逆となりやすい
原　因	・急性期粘膜炎後の知覚神経障害や筋萎縮の遷延 ・咽頭後壁や舌根，喉頭挙上筋群などの筋萎縮
対　策	・治療終了後も栄養管理・嚥下訓練の継続

Chapter 5　放射線治療による嚥下障害 ── 急性期（表5）
→（eラーニング▶スライド6）

　化学放射線治療は臓器温存治療として有力であるが，治療中の疼痛・粘膜炎等による嚥下障害[7]が避けられない．

　まず，患者が直面するのは放射線治療開始後数日で始まる粘膜炎による痛みである．照射野内の粘膜は白苔が付着し，また，出血を伴うこともある．

　次に，嚥下時痛によって経口摂取不能となることもまれではない．また，喉頭へ照射すると喉頭の感覚低下[5]が避けられず，気道防御反射が減弱し，不顕性誤嚥の危険性が高まる．

　治療中の栄養摂取不良は，骨髄抑制を増悪させ治療完遂率も落とす．治療中の栄養管理と鎮痛剤等の内服を安定して行うために，経管栄養（胃瘻や経鼻胃管）が重視される．

　しかし，放射線治療開始後早期から胃瘻に依存しすぎると廃用をきたし，また，照射による筋力低下が著しいと治療終了後も胃瘻に依存することになる危険をはらんでいる．胃瘻を造設しても，できるだけ経口摂取を維持する努力と治療前からのリハビリテーションが重要である．

Chapter 5の確認事項 ▶ eラーニング スライド6対応

 急性期における放射線治療による有害事象について理解する．

Chapter 6　放射線治療による嚥下障害 ── 晩期（表6）→（eラーニング▶スライド7）

　一般に，放射線治療の晩期有害事象は放射線性皮膚潰瘍や神経障害などがみられるが，その原因は臓器実質細胞数減少，結合織の線維化，血管障害による血流低下や壊死による．それらの変化が嚥下関連臓器に発生することにより嚥下障害を生ずる．しばしば不可逆的な変化となる．

　晩期の嚥下障害の原因の一つは急性期粘膜炎後の知覚神経障害や筋萎縮の遷延である．放射線治療が終了しても，すぐに粘膜炎が消失することはなく，数週間から数か月にわたり経口摂取不能な場合がある．経時的には自然に咽頭粘膜は回復するが，血流障害のため披裂部や喉頭蓋の浮腫が遷延する．

　もう一つは急性期障害が軽快消失したのちに，一定の潜伏期を経て発症するものである．咽頭後壁や

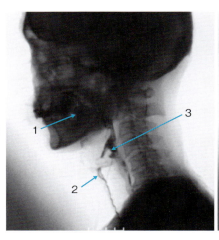
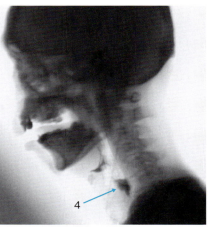

図1 中咽頭癌の化学放射線治療後の嚥下障害例（晩期障害）

嚥下造影にて特徴的な所見を示す.
1. 舌根の後方運動の減弱, 2. 不顕性誤嚥, 3. 喉頭挙上不足, 4. 咽頭残留

舌根, 喉頭挙上筋群などの筋萎縮, 喉頭感覚低下などにより, 重症の嚥下障害をきたし, 誤嚥性肺炎を反復するなど, 生命予後を悪化させる.

対策としては放射線治療終了後も栄養管理・嚥下訓練の継続が提案されているが, 現在も大きな課題である.

▶ Chapter 6の確認事項 ▶ eラーニング スライド7対応

1 晩期における放射線治療による有害事象について理解する.

▶ Chapter 7　晩期障害による嚥下機能低下の典型例 → (eラーニング ▶ スライド8)

図1は, 放射線治療後の典型的な嚥下造影所見である[8]. 不顕性誤嚥, 喉頭挙上の遅れによる誤嚥, 咽頭クリアランス低下による咽頭残留などの所見がみられる.

▶ Chapter 8　手術後の嚥下障害の特徴 (表7) → (eラーニング ▶ スライド9)

手術による嚥下障害の特徴[9]は, ①手術前から予測可能である, ②切除や再建による解剖学的変化が最大の原因である, ③手術前や手術後の放射線治療や加齢の影響を受ける, などである.

近年は, 高齢者の癌治療が増えている. 高齢者でも手術前には通常どおり経口摂取でき, 栄養摂取・嚥下能力に問題は生じていないことが多いが, 加齢による潜在的な嚥下機能低下は手術や放射線治療による負荷がかかったときに顕在化しやすい. 治療前の機能評価も重要である.

▶ Chapter 8の確認事項 ▶ eラーニング スライド9対応

1 手術による嚥下障害の特徴を理解する.

表7　手術後の嚥下障害の特徴

手術後であること
・手術前からある程度の予測ができる
　　手術前の説明と同意
　　術前に覚悟ができる？
・解剖学的変化が最大の原因である
　　意識清明である
　　認知期，先行期には問題ない．
　　切除による構造の変化　→不可逆的障害
　　　・正常な構造ではなくなっている
　　　・どのように代償するか？
　　切除に伴う一時的な変化
　　　・温存した神経の一時的な麻痺
　　　・浮腫や腫脹，瘢痕による運動制限
術前あるいは術後の放射線治療の影響
加齢の影響

表8　口腔癌（舌癌，口腔底癌など）の手術

口腔癌
・舌癌，口腔底癌，頬粘膜癌，上歯肉癌，下歯肉癌，口蓋癌（『頭頸部癌取り扱い規約』）
切除範囲の確認が必要
・舌，口腔底，舌骨上筋群
・下顎骨，上顎骨
・舌下神経，舌神経，顔面神経下顎縁枝
舌の欠損の分類
・部分切除，半切除，亜全摘，全摘
・可動部全摘と全摘（＝舌根を含めて全摘）
　　可動部舌とは有郭乳頭の前をいう
　　舌根部は中咽頭前壁を意味する
舌骨上筋群の切除，温存
・喉頭を挙上するしくみの要；両側切除後は喉頭を自力で挙上できない．　→喉頭挙上術の絶対適応

Chapter 9　口腔癌の嚥下障害（表8）→（eラーニング▶スライド10）

　口腔癌は原発部位によって多くの呼称に分かれるが，嚥下障害のリハビリテーションを考えるときには，機能障害に関連する部位のどこが切除されたかを確認することが重要である．特に，舌下神経（舌の運動）や顔面神経下顎縁枝（下口唇の運動）の温存の有無，舌の切除範囲が重要である．舌骨上筋群（顎二腹筋，オトガイ舌骨筋など）が両側障害をきたすと，舌骨・喉頭の挙上ができなくなる．

Chapter 9の確認事項▶eラーニング スライド10対応

1 口腔癌にかかわる摂食嚥下リハビリテーションのポイントを理解する．
2 口腔癌にかかわる摂食嚥下リハビリテーションを考える際に特に必要なものは何かを理解する．

Chapter 10　舌半切後の手術野 →（eラーニング▶スライド11）

　図2は，口腔底癌による可動部舌半切，頸部郭清術の手術所見である．
　術後の機能障害は，切除される部位が担当している機能が失われることによる．したがって，切除部位とその大きさ，合併切除される組織によって障害の現れ方はさまざまである．可動部舌，舌根（中咽頭前壁），下顎骨の切除の状況を把握することが重要である[10]．

Chapter 10の確認事項▶eラーニング スライド11対応

1 術後の機能障害を把握するためのポイントを理解する．

Chapter 11　遊離組織移植 →（eラーニング▶スライド12）

　遊離組織移植は，頭頸部癌の再建において欠かせない技術である．図3は，図2に続いて遊離前外側大腿皮弁によって舌が再建されている．この症例は常食摂取が可能となっている．頸部で動脈・静脈の微小血管吻合が行われる．術後管理においては血管吻合部の周辺を愛護的に扱う必要があるので，頸部

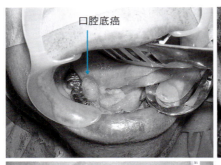
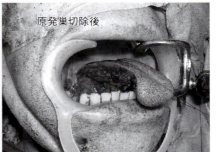
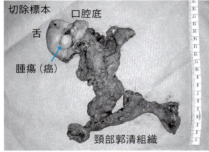

図2 口腔癌の切除（舌癌，口腔底癌，歯肉癌，頬粘膜癌など）
・可動部舌半切，頸部郭清術．
・口腔内の腫瘍と転移リンパ節が周囲組織でくるまれて一塊に切除される．
・頸部郭清術：転移した頸部リンパ節を系統的に周囲組織とともに切除する手術．

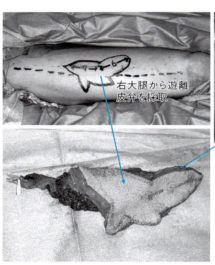
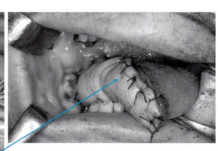

図3 遊離組織移植による舌再建
遊離前外側大腿皮弁による舌再建例．
・頸部で動脈・静脈の微小血管吻合を行う．
・術後管理においては，頸部安静や圧迫禁止部位の確認が必要になる．

安静や圧迫禁止部位の確認が必要になる．

Chapter 11の確認事項 ▶ eラーニング スライド12対応

1 遊離組織移植の留意点を理解する．

Chapter 12　進行した舌癌の切除 →（eラーニング ▶ スライド13）

　広範囲の舌根切除は，嚥下障害のリスクファクターとして最も重要である[11,12]．図4の症例では遊離腹直筋皮弁によって舌が再建され，輪状咽頭筋切除術と喉頭挙上術[13]が追加された．

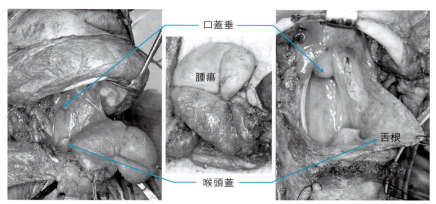

図4 進行した舌癌の切除
20歳男性，舌癌．舌根（中咽頭前壁），右中咽頭側壁に広範囲に浸潤していた．舌亜全摘を施行（左舌根が一部温存された）．遊離腹直筋皮弁により再建され，喉頭挙上術と輪状咽頭筋切除術が追加された．

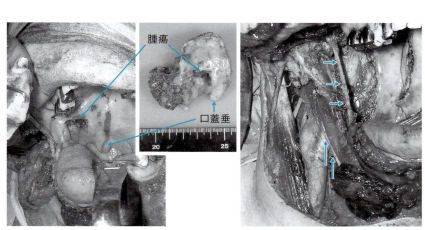

図5 中咽頭癌（側壁癌）の切除
下顎正中離断法．切除された組織を中央に示す．軟口蓋1/2（口蓋垂含む），側壁，後壁の一部が切除された．右図は切除完了後である．舌神経（→）舌下神経（↑）は温存されている．

　全粥食が摂取でき退院したが，その後，カツ丼が食べられるようになった．咀嚼力は弱く，小さくして食べるなどの工夫は必要である．術後4年経過し，再発はない．

▶ Chapter 13　中咽頭癌の切除 →（eラーニング ▶ スライド14）

　図5は，中咽頭癌の切除の術野である．下顎骨が翻転されて舌根から中咽頭側壁の切除がされている．下顎骨は切除後にもとの位置に戻される．腫瘍の進展によって舌下神経が切除されれば舌運動の障害がみられるし，上喉頭神経が切断されると喉頭感覚の低下をきたす．この症例ではいずれも温存され，舌運動等は良好であった．
　中咽頭切除術後に問題となりやすいのは，①鼻咽腔閉鎖，②開口障害である．

▶ Chapter 13の確認事項 ▶ eラーニング スライド14対応

1　中咽頭切除術にかかわる問題点，留意点を理解する．

表9 手術か,化学放射線治療か?
- 局所進行癌で喉頭全摘がされると音声を喪失し,永久気管孔ができる
- 食道発声やシャント発声により代用音声の再獲得が可能である
- 放射線治療あるいは化学放射線治療(化学療法の併用)は臓器温存治療として有力であるが,化学放射線治療後の嚥下障害に留意が必要である

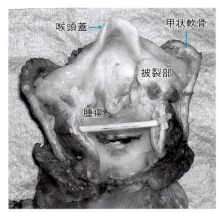

図6 全摘された喉頭
声帯は腫瘍に置き換わっている.

Chapter 14　喉頭癌／下咽頭癌治療と嚥下障害①(表9,図6)
→ (eラーニング ▶ スライド15)

　喉頭癌や下咽頭癌においては,喉頭／下咽頭病変の局在,あるいは進行度により治療方針の選択肢を決定するが,進行癌では音声機能喪失と永久気管孔を伴う喉頭全摘を受け入れられるか否かが問題である.

　喉頭を全摘すると音声を喪失し,永久気管孔ができるが,誤嚥するリスクはなくなる.音声は訓練によって,あるいは発声補助のための手術(TEシャント)の追加などにより再獲得が可能である.

　喉頭全摘後の嚥下障害が起きるとしたら,①咽頭縫合部の狭窄や空腸移植後の吻合部狭窄,②喉頭全摘に加えて広範囲中咽頭壁切除を要した場合の鼻咽腔閉鎖不全,③舌下神経の合併切除などによる口腔からの送り込み障害,などが原因となる.

Chapter 14の確認事項 ▶ eラーニング スライド15対応
1 喉頭,下咽頭の進行癌における問題を整理する.
2 喉頭全摘に伴う問題点,喪失音声回復のポイントを理解する.

Chapter 15　喉頭癌／下咽頭癌治療と嚥下障害②(表10,図7)
→ (eラーニング ▶ スライド16)

　図7は,喉頭亜全摘の切除標本写真である.永久気管孔がなく,音声は確実に温存できる利点があるが,嚥下障害への注意が必須である.

　治療開始前から治療後の障害について予測し,説明と同意を得る必要がある.リハビリテーションは障害の予測に基づいて治療開始時から介入したほうがよい.

　図7で示したのは,喉頭亜全摘術(supracricoid partial laryngectomy, crico-hyoid-epiglot pexy;SCPL-CHEP)の切除である.気管孔は不要で声を温存できる.舌骨／輪状軟骨,披裂部は温存される術式である.

表10　全摘か，温存手術か？

- 喉頭／下咽頭癌の手術は喉頭が全摘される場合と，喉頭部分切除や半切除・亜全摘など，音声を温存する術式に大別される
- 永久気管孔がなく，音声が温存される術式を選択した場合には，嚥下障害への対応を念頭に置く必要が生じる

表11　喉頭部分切除・半切除・亜全摘と機能温存

癌のない部分をできるだけ残す術式である．
- 癌の存在部位や進展／浸潤の度合いによって術式にバリエーション

残った部分で呼吸と嚥下
- 不完全な声門閉鎖
  → 息こらえ嚥下法など声門閉鎖を強化する訓練
- 喉頭挙上運動障害
  → Shaker法など喉頭挙上を強化する訓練

口腔機能は通常，正常である
不顕性誤嚥の存在に注意！
- 放射線治療後再発例，残存例
- 高齢
- 上喉頭神経の切除

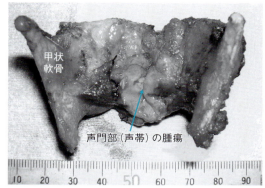

図7　喉頭亜全摘術(supracricoid partial laryngectomy, crico-hyoid-epiglot pexy；SCPL-CHEP)
気管孔なし．声を温存．舌骨／輪状軟骨，披裂部は温存される術式．

Chapter 16　喉頭癌／下咽頭癌治療と嚥下障害③ (表11)
→ (eラーニング ▶ スライド17)

Chapter 15で示した喉頭亜全摘以外にも，喉頭半切除，亜全摘術は術式のバリエーションが多いが，共通してみられる嚥下障害の病態は，①声門閉鎖不全，②喉頭挙上制限，③喉頭感覚低下などである[14]．

術後の訓練としては，Shaker法など喉頭挙上を強化する訓練，あるいは声門閉鎖改善のためには息こらえ嚥下法が基本となる．声門閉鎖に加えて舌根後方運動を強調するために，アンカー強調嚥下法や前舌保持嚥下法なども有効なことが多い．

放射線治療後の再発例の手術や高齢者では，特に不顕性誤嚥が問題となりやすい．

Chapter 16の確認事項 ▶ eラーニング スライド17対応

1. 喉頭亜全摘等でみられる嚥下障害の病態を理解する．
2. 術後訓練の選択肢を整理する．

Chapter 17　手術後嚥下障害への対応 (表12) → (eラーニング ▶ スライド18)

手術前には，切除範囲とそれをもとに再建計画が立てられている．ある程度の機能障害がその段階で予測できるので，事前に訓練法を紹介することは訓練の導入を円滑にする．

手術直後は嚥下訓練よりも誤嚥予防と安全な気道確保が重要である．口腔ケア，咽頭衛生はこの時期も重要となる．

表12　頭頸部癌手術後の嚥下障害への対応

対策は手術前から
・切除範囲と再建法を正確に計画し，機能低下の程度を予測する
・口腔衛生の徹底と指導
・手術後に必要となる訓練法を患者に紹介する

周術期の管理
・気管切開の有無の確認．気管切開がない場合には気道狭窄にも留意し，痰の喀出の可否に細心の注意を払う
・口腔・咽頭の保清
・観察と評価
　　術式の再確認：切除された組織，再建の方法を確認する
　　温存組織の可動性，知覚の状況を評価する
　　　・残存舌／舌根の可動性，鼻咽腔閉鎖
　　　・顔面神経下顎縁枝や舌下神経，迷走神経などの麻痺の有無

創が治癒したら訓練開始
・間接訓練／段階的摂食訓練
・気管切開があっても並行して開始可能

訓練開始前には手術の内容をもとに機能評価を行い，訓練計画を立てる．

創治癒とともに訓練は開始できる．病態と重症度に応じて段階的に行うが，気管切開があっても積極的に訓練を行う．

 Chapter 17 の確認事項 ▶ eラーニング スライド18対応

① 術後の嚥下障害に対するポイントを整理する．

文　献

1) Pignon JP, et al.：Chemotherapy added to locoregional treatment for head and neck squamous-cell carcinoma：three meta-analyses of updated individual data. MACH-NC Collaborative Group. Meta-Analysis of Chemotherapy on Head and Neck Cancer. Lancet, 355(9208)：949-955, 2000.
2) Kam ML, et al.：Prospective randomized study of intensity-modulated radiotherapy on salivary gland function in early-stage nasopharyngeal carcinoma patients. J Clin Oncol, 25(31)：4873-4879, 2007.
3) Patel SH, et al.：Charged particle therapy versus photon therapy for paranasal sinus and nasal cavity malignant diseases：a systematic review and meta-analysis. Lancet Oncol, 15(9)：1027-1038, 2014.
4) Logemann JA, Pauloski BR, Rademaker AW, et al.：Swallowing disorders in the first year after radiation and chemoradiation. Head Neck, 30：148-158, 2008.
5) Ozawa K, Fujimoto Y, Nakashima T：Changes in laryngeal sensation evaluated with a new method before and after Radiotherapy. Eur Arch Otorhinolaryngol, 267(5)：811-816, 2010.
6) Pauloski BR, Rademaker AW, Logemann JA, et al.：Speech and swallowing in irradiated and nonirradiated postsurgical oral cancer patients. Otolaryngol Head Neck Surg, 118：616-624, 1998.
7) Salama JK, Stenson KM, List MA, et al.：Characteristics associated with swallowing changes after concurrent chemotherapy and radiotherapy in patients with head and neck cancer. Arch Otolaryngol Head Neck Surg, 134(10)：1060-1065, 2008.
8) 藤本保志，小澤喜久子，安藤　篤，他：中咽頭癌治療後の嚥下障害．気食，61(2)，2010.
9) 藤本保志，中島　務，長谷川泰久：頭頸部癌手術後嚥下障害の予防と対応．JOHNS, 19：445-450, 2003.
10) 藤本保志，中島　務．リハビリテーション―舌癌治療と構音嚥下機能―．MB ENT, 70：61-69, 2006.

11) 藤本保志, 長谷川泰久, 松浦秀博, 中山　敏, 加藤久和：舌癌根治切除・再建術後の嚥下機能―病態とその対策―. JOHNS, 16(4), 637-642, 2000.
12) Pauloski BA, Redemaker AW, Logemann JA, et al.：Surgical variables affecting swallowing in patients treated for oral/ oropharyngeal cancer. Head Neck, 26：625-636, 2004.
13) Fujimoto Y, Hasegawa Y, Yamada H, et al.：Swallowing function following extensive resection of oral or oropharyngeal cancer with laryngeal suspension and cricopharyngeal myotomy. Laryngoscope, 117：1343-1348, 2007.
14) 藤本保志, 岩田義弘, 小澤喜久子, 安藤　篤, 三宅真理子, 中島　務：喉頭癌音声温存術式の音声・嚥下機能の比較. 喉頭, 19(2)：70-74, 2007.

【参考図書】
1. 藤島一郎監修：疾患別嚥下障害. 医歯薬出版, 東京, 2022.
2. 浅井昌大, 全田貞幹, 大田洋二郎, 田原　信編：頭頸部がん化学放射線療法をサポートする口腔ケアと嚥下リハビリテーション. オーラルケア社, 東京, 2009.

第1分野
摂食嚥下リハビリテーションの全体像
3─原因と病態

10 原因疾患：認知症

Lecturer ▶ 山田律子

北海道医療大学看護福祉学部
看護学科（老年看護学）教授

学習目標
Learning Goals

- 認知症の人に対する摂食嚥下リハビリテーションの前提となる考え方について説明できる
- 認知症と軽度認知障害（MCI）との違いについて説明できる
- 認知症の症状がもたらす摂食嚥下障害の特徴について説明できる
- 以下に示す認知症の原因疾患別にみた摂食嚥下障害の特徴について，認知症の重症度も踏まえて説明できる
  代表的疾患：Alzheimer（アルツハイマー）型認知症，血管性認知症，Lewy（レビー）小体型認知症，前頭側頭型認知症

▶ Chapter 1　認知症の人への摂食嚥下リハビリテーションの全体像
→（eラーニング▶スライド2）

　認知症の原因疾患とその経過は多様であり，進行に伴い認知症の診断名が変わることがある．このことから，認知症の個々人の意向と状態像に応じた摂食嚥下リハビリテーションが求められる．つまり，認知症の「原因疾患」から入るのではなく，まずは認知症の「その人」についてよく知ることから始める．また，聴覚的理解が難しくなる認知症の人への摂食嚥下リハビリテーションでは，対応として口頭指示による「機能訓練」ではなく，視覚情報等を活用した「環境調整」によって，認知症の人の食べる喜びを支えることを目指す．なお，認知症の病態に関する知識は，環境調整の際に活用する．

▶ Chapter 1の確認事項 ▶ eラーニング スライド2対応

1. 認知症では，個々人の意向と状態に応じて介入すること，視覚情報等を活用した「環境調整」によって対応することを理解する．

▶ Chapter 2　認知症（dementia, neurocognitive disorder）とは？（表1）
→（eラーニング▶スライド3）

　認知症の定義に示すように，認知症の人は一度獲得した認知機能があるがゆえに，認知症によってそれを奪われることによるストレスが大きく，食事にも影響が及ぶ．認知症が重度になっても意思はあるが，思うように言語で表現できないため，相手との関わり方が重要になる．また，認知症の原因疾患や重症度によっても摂食嚥下障害が異なり，個々人に適した環境になっていないと低栄養に至りやすい．なお，せん妄との違いは，認知症は一過性ではなく，意識障害（混濁）がないことである．
　認知機能検査（スクリーニング検査）の各カットオフ値は，MMSEが23点以下，HDS-Rが20点以下，Mini-Cog（ミニコグ）が2点以下である．あくまでも「認知症の疑い」であり，診断には詳細な検査が必

表1 認知症 (dementia, neurocognitive disorder) とは？

- 【定義】いったん獲得した認知機能が，慢性の脳機能障害のために著しく低下し，徐々に自立した社会生活や日常生活に支障をきたしていく状態
- 意思がありながらも，思うように言語で表現できない状態
- 認知症の原因疾患や重症度によって摂食嚥下障害が異なる
- 環境による影響を受け，適切な支援がないと低栄養に至りやすい
- せん妄との違い：認知症は一過性ではない，意識障害（混濁）はない
- 認知機能検査（スクリーニング検査）：認知症の疑い
  - MMSE (Mini-Mental State Examination)　　　23点以下/30点
  - HDS-R (Hasegawa's Dementia Scale-Revised)　20点以下/30点
  - Mini-Cog (Mini-Cognitive assessment instrument)　2点以下/5点
- 認知症の重症度判定
  - CDR (Clinical Dementia Rating)　1：軽度，2：中等度，3：重度

なお，若年性認知症とは，65歳未満で発症した認知症を指す

要になる．認知症の重症度判定は，CDRの1が軽度，2が中等度，3が重度と判定される．

なお，若年性認知症とは，65歳未満で発症した認知症をいう．

Chapter 2の確認事項 ▶ eラーニング スライド3対応

1. 認知症の特性と，スクリーニング検査および重症度判定法にはどのようなものがあるかを理解する．

Chapter 3　軽度認知障害（mild cognitive impairment；MCI）とは？
→ (eラーニング ▶ スライド4)

軽度認知障害（MCI）とは，軽微な認知機能障害が一つ認められるものの，日常生活は自立した状態をいう．図1に示すように，健常と認知症の境界域にあり，MCIの回復率は30％で，5年後には半数が認知症へ移行するといわれている．口腔・咽頭期の嚥下機能が低下し，低栄養に至る場合がある．

認知機能検査（スクリーニング検査）では，MoCA-Jが25点以下，MMSEが27点以下，認知症の重症度判定のCDRでは0.5が「MCIの疑い」と判定される．

Chapter 3の確認事項 ▶ eラーニング スライド4対応

1. 軽度認知障害（MCI）の定義，認知症との違い，評価の指標について理解する．

Chapter 4　認知機能検査（スクリーニング検査） → (eラーニング ▶ スライド5)

参考までに，先に述べた認知機能検査（スクリーニング検査）の特徴を表2に示す．これらの検査のなかで，MoCA-J（モカ・ジェイ）がMCIに対する感度が高いとされている．

Chapter 4の確認事項 ▶ eラーニング スライド5対応

1. 各認知機能検査について理解する．

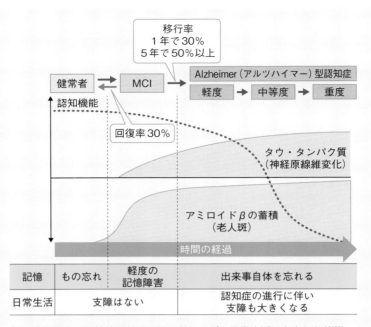

- 【定義】軽微な認知機能の低下は認められるが，日常生活は自立した状態
- 認知機能障害（記憶障害や実行機能障害等）は一つ
- 一過性ではなく，本人の自覚がある
- 健常と認知症の境界領域
- 口腔・咽頭期の嚥下機能が低下し，低栄養に至る場合がある
- MCIの回復率は30％
- MCIは，1年後に30％，5年後に50％がAlzheimer型認知症へ移行
- 認知機能検査（スクリーニング検査）
    MoCA-J (Japanese version of Montreal Cognitive Assessment) 25点以下/30点
    MMSE (Mini-Mental State Examination) 24〜27点/30点
- 認知症の重症度判定
    CDR (Clinical Dementia Rating：臨床認知症尺度) 0.5

図1　軽度認知障害（mild cognitive impairment；MCI）とは？――Alzheimer型認知症との関係

表2　認知機能検査（スクリーニング検査）

検査名（所要時間）	評価項目	判定	感度・特異度
MMSE (6-10分)	時間・場所の見当識，3単語の即時再生（記銘）と遅延再生，計算，物品呼称，文章復唱，3段階の口頭命令，書字命令，文章書字，図形模写の計11項目，30点満点	23点以下 ⇒認知症の疑い	感度　81% 特異度　89%
		27点以下 ⇒MCIの疑い	感度　45-60% 特異度　65-90%
HDS-R (6-10分)	年齢，時間・場所の見当識，3単語の即時再生（記銘）と遅延再生，計算，数字の逆唱，物品記銘，言語流暢性の計9項目，30点満点	20点以下 ⇒認知症の疑い	感度　93% 特異度　86%
Mini-Cog (2-3分)	3単語の即時再生（記銘）と遅延再生，時計描画の計3項目，5点満点	2点以下 ⇒認知症の疑い	感度　76-99% 特異度　83-93%
MoCA-J (10分)	視空間・遂行機能，命名，記憶（記銘と遅延再生），注意，言語（文の復唱・語想起），抽象概念，遅延再生，見当識の計8項目，30点満点	25点以下 ⇒MCIの疑い	感度　80-100% 特異度　50-87%

MMSE：Mini-Mental State Examination（ミニメンタルステート検査）〈読み方：エムエムエスイー〉
HDS-R：Hasegawa's Dementia Scale-Revised（改訂長谷川式認知症スケール）〈読み方：エッチディエス・アール〉
Mini-Cog：Mini-Cognitive Assessment Instrument〈読み方：ミニ・コグ〉
MoCA-J：Japanese version of Montreal Cognitive Assessment〈読み方：モカ・ジェイ〉

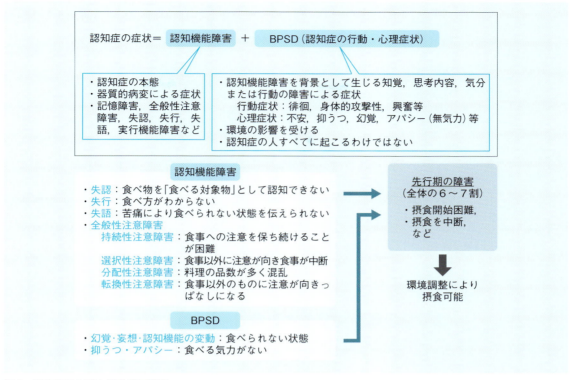

図2　認知症の症状と摂食嚥下障害

Chapter 5　認知症の症状と摂食嚥下障害 → (eラーニング ▶ スライド6)

　認知症の症状は，認知機能障害と認知症の行動・心理症状（behavioral and psychological symptoms of dementia；BPSD）の二つに大別される．認知機能障害は，脳の器質的病変によるもので，出現時期の違いはあるものの，すべての認知症の人にみられる症状である．一方，BPSDは，認知機能障害を背景として生じる知覚，思考内容，気分または行動の障害による症状をいい，すべての認知症の人に出現するわけではなく，環境の影響を受ける．

　認知症の症状による摂食嚥下障害の一例を図2に示す．認知症の人の摂食嚥下障害は，全体の6～7割が先行期の障害であり，環境の調整によって摂食が可能になる．しかし，その背景は多様である．「食べない」「摂食を中断する」などの先行期の障害では，その背景にある病態と環境との相互作用からアセスメントすることが求められる．

Chapter 5の確認事項 ▶ eラーニング スライド6対応

1 認知症の症状は，認知機能障害とBPSD（認知症の行動・心理症状）の二つに大別されることを理解する．
2 認知機能障害とBPSDの特徴を理解する．

表3　認知症の原因疾患および治療可能な認知症の原因疾患

- 認知症の原因疾患は100種類以上
- 日本で多い認知症（以下の三大認知症が全体の約8割を占める）
    - 1位：Alzheimer型認知症（Alzheimer-type dementia：ATD）
    - 2位：血管性認知症（vascular dementia：VaD）
    - 3位：Lewy小体型認知症（dementia with Lewy bodies：DLB）
- 異常なタンパク質が脳に蓄積する変性疾患
    - Alzheimer型認知症
    - Lewy小体型認知症
    - 前頭側頭型認知症
- 治療可能な認知症の原因疾患
    - 特発性正常圧水頭症（歩行障害，排尿障害，認知障害の三大症状が特徴）
    - 慢性硬膜下血腫
    - 髄膜腫（良性の脳腫瘍）など

表4　Alzheimer型認知症（Alzheimer type of dementia；ATD）

神経病理学的特徴：
- 大脳皮質連合野や海馬領域に老人斑（アミロイドβの沈着），神経原線維変化（タウタンパク）により，大量の神経細胞が脱落

おもな症状：徐々に進行
- 記憶障害：
    - 記銘力や陳述（エピソード）記憶の障害
    - 〇手続き記憶や遠隔記憶は比較的保持
- 失語：言葉が出てこないこと
- 失認：対象の認識・同定が困難になること
- 失行：道具の使い方がわからなくなること
- 実行機能障害：段取り・計画立案に困難になること
- 空間認知障害：空間における対象物や自分自身の位置関係の確認に支障をきたすこと
- 〇運動・感覚機能は特異的に保持

〇印は，保持している機能

▶ Chapter 6　認知症の原因疾患および治療可能な認知症（表3）

→（eラーニング▶スライド7）

認知症は「状態」を示す用語であり，その原因疾患は100種以上とされている．

日本で最も多い認知症はAlzheimer（アルツハイマー）型認知症であり，次いで血管性認知症，Lewy（レビー）小体型認知症と続く，これら三つの認知症（三大認知症ともいう）で全体の8〜9割を占める．異常なタンパク質が脳に蓄積する変性疾患では，Alzheimer型認知症，Lewy小体型認知症，前頭側頭型認知症がある．現在，これらの変性疾患を完治するための治療薬がないため，関わり方が重要になる．また，脳の病巣が異なることによって症状も異なり，摂食嚥下障害にも違いが生じる．

治療可能な認知症は，数か月で急激に症状が悪化するという特徴がある．脳を圧迫している原因を取り除くことで治ることがあるため，早期発見・治療が必要である．

▶ Chapter 6の確認事項 ▶eラーニング スライド7対応

1. 三大認知症の種類を理解する．
2. 急激に認知症の症状が出現した場合には，治療することで回復する可能性もあることを理解する．

▶ Chapter 7　Alzheimer型認知症（Alzheimer type of dementia；ATD）（表4） →（eラーニング▶スライド8）

Alzheimer型認知症の病態は，「老人斑」と「神経原線維変化」の二つの特徴的な構造的変化による神経細胞の脱落である．すなわち，前者は大脳皮質連合野や海馬領域の神経細胞に「老人斑」と呼ばれるアミロイドベータ（Aβ）という異常なタンパク質が凝集して沈着し，脳にシミのような塊を作る．後者は，神経細胞のなかに糸くずのようなものが蓄積する「神経原線維変化」であり，タウタンパクと呼ばれるタンパク質が凝集する．なお，脳の萎縮は側頭葉内側の海馬から始まるために，認知症の重症度が軽度から記憶障害が目立ちやすく，その後，徐々に頭頂葉にかけて萎縮が拡大し，失行や失認といっ

表5　Alzheimer型認知症の摂食嚥下障害
・認知症の重症度が軽度では摂食嚥下障害はないが，中等度になると先行期を中心とした摂食嚥下障害が出現する．さらに，重度では準備期・口腔期・咽頭期の障害も認められるようになる．

重症度	軽度	中等度	重度
摂食嚥下障害の特徴	・実行機能障害により，誰かのサポートがあれば料理を作ることが可能 ・記憶障害により鍋をこがす，同じ食品を購入する，食べたこと自体を忘れる ・摂食動作には支障はない	・食べ始められない 1）空間認知障害や失認により食べ物と認知できない（⇒好物を用意したり，一口食べてもらう） 2）失行により食具の使い方がわからない（⇒食具・食器をもつ支援，口まで運ぶ動作の支援） 3）空間認知障害や注意障害により食器やクロスの模様が気になり食べ始められない（⇒模様のないものに変更） ・注意障害により，食事以外の刺激（人の動きや物音・話し声など）に注意が向き摂食を中断（⇒環境内の刺激を調整）	・失行により食具を使って食べられない（⇒手まり寿司などフィンガーフード用意） ・口腔顔面失行により口が開かない（⇒言葉ではなく食べ物を載せたスプーンを下唇につけるなど） ・準備期・口腔期障害：口腔機能の低下により食べ物を口腔内にため込む（⇒食事前に他動運動による舌・頬のマッサージなど） ・咽頭期の嚥下障害による誤嚥性肺炎のリスク（⇒口腔リハビリテーションと口腔ケア，姿勢の調整，食形態の工夫など誤嚥性肺炎予防に向けた支援）

※参考までに（⇒　）で支援の例を示す

た症状が出現する．しかし，運動野と感覚野は特異的に保たれるため，認知症が重度になり食具の使用が難しくなっても，手まり寿司などのフィンガーフードであれば食べられることがある．

▶ Chapter 7の確認事項 ▶ eラーニング スライド8対応

1 Alzheimer型認知症の病態を理解する．

Chapter 8　Alzheimer型認知症の摂食嚥下障害 (表5) → (eラーニング ▶ スライド9)

　軽度のAlzheimer型認知症では摂食嚥下障害を認めないが，中等度になると失認や失行，空間認知障害，注意障害により摂食開始困難や摂食の中断といった先行期の障害が認められる．認知症が重度になると，準備期・口腔期・咽頭期の障害もみられるようになる．

▶ Chapter 8の確認事項 ▶ eラーニング スライド9対応

1 Alzheimer型認知症による摂食嚥下障害の特徴を理解する．

Chapter 9　血管性認知症（vascular dementia；VaD）(表6)
→ (eラーニング ▶ スライド10)

　脳の血管障害（脳梗塞や脳出血等）が原因で引き起こされる認知症であり，脳のどこに損傷が起きたかによって症状が異なる．Alzheimer型認知症との違いは，血管性認知症では神経学的局所症状（麻痺や嚥下障害など）が生じるために，準備期・口腔期・咽頭期の嚥下障害を伴う点にある．

表6 血管性認知症（vascular dementia；VaD）

神経病理学的特徴：
- 脳の血管障害（脳梗塞や脳出血等）が原因で引き起こされる脳神経細胞の壊死による認知症
- 皮質だけでなく皮質下でも起きる．
- いくつかのタイプ
  1) 広範な梗塞：大脳深部の白質線維の連絡機能が途絶え発症
  2) 大脳表面の梗塞巣：容積が100 mLを超えると発症
  3) 海馬，視床，尾状核等の脳の重要部位に梗塞が生じて発症

症状：段階的に進行
- 脳のどこに損傷が起きたかで出現の仕方が異なる．
- 神経学的局所症状：麻痺（バレー徴候），失語症，幅広歩行，情動失禁，嚥下障害など

表7 血管性認知症の摂食嚥下障害

脳血管障害部位によって摂食嚥下障害は異なるが，認知症の重症度が軽度・中等度から先行期障害のほか準備期・口腔期・咽頭期・食道期の嚥下障害を伴うことがある．

重症度	軽度〜中等度	重度
摂食嚥下障害の特徴	・失語や構音障害を伴う食物の咽頭への送り込みに障害（⇒舌接触補助床の検討，口腔リハビリテーションを行い対応） ・片麻痺による姿勢の崩れや摂食動作に支障，こぼしやすい（⇒姿勢の調整，自助具の活用） ・片麻痺による準備期・口腔期・咽頭期障害：口腔内や咽頭の食物が残留しやすい（⇒交互嚥下，食形態の調整，口腔ケア等を行い対応） ・意欲の低下・無関心により，声をかけないと食べないことがある（⇒誘導や場づくりの工夫を行い対応） ・半側空間無視がある場合，注視していない部分を食べ残す（⇒片側に食器を寄せる，食べ残している食事を認知可能な場所に移動，食べる前に指さし確認を行い対応）	・食塊形成と咀嚼障害，咽頭への移送障害，舌骨・喉頭運動の低下，嚥下反射の惹起遅延などによる嚥下障害，大脳基底核病変があると不顕性誤嚥，さらには胃食道逆流による逆流性食道炎を生じることがある（⇒食形態や姿勢の調整，口腔ケアなど誤嚥性肺炎や逆流性食道炎の予防に向けた支援）

※参考までに（⇒　）で支援の例を示す

Chapter 9の確認事項 ▶ eラーニング スライド10対応

1 血管性認知症の概要を理解する．

Chapter 10　血管性認知症の摂食嚥下障害

脳血管障害の部位によって摂食嚥下障害は異なるが，認知症の重症度が軽度・中等度では，片麻痺による姿勢の保持や摂食動作に支障を来したり，半側空間無視によって食べ残したりするなどの先行期の障害のほか，食塊の咽頭への移送に支障を来すことがある．さらに認知症が重度になると，食塊形成不全や咀嚼障害，咽頭への移送障害，舌骨・喉頭運動の低下，嚥下反射の惹起遅延などによる嚥下障害，大脳基底核病変があると不顕性誤嚥，さらには胃食道逆流による逆流性食道炎を生じることがある．

Chapter 10の確認事項 ▶ eラーニング スライド11対応

1 血管性認知症による摂食嚥下障害の特徴を理解する．

表8　Lewy（レビー）小体型認知症（dementia with Lewy bodies；DLB）

神経病理学的特徴：
- 脳幹をはじめ全身にLewy小体（α-シヌクレイン）が多数蓄積．
- 変性認知症の一つ．

DLBの臨床診断基準（2017年改訂版）
- 中心的特徴：進行性の認知障害
- 中核的特徴：（二つ以上該当するとprobable）
  1) 注意や明晰さの著明な変化を伴う認知の変動
  2) 繰り返す具体的内容の幻視
  3) パーキンソニズム（動作緩慢，寡動，静止時振戦，筋強剛）
  4) レム期睡眠行動異常症（RBD）
- 支持的特徴：
  抗精神病薬への過敏性，姿勢の不安定さ，嗅覚低下，妄想，幻聴，顕著な自律神経症状（起立性低血圧，食後低血圧，便秘），他

表9　Lewy小体型認知症の摂食嚥下障害

・多様な症状（幻覚、錯視、妄想、認知機能の変動等）により，認知症の重症度が軽度・中等度から先行期障害が，さらに中等度以降では準備期・口腔期・咽頭期の障害を伴う．記憶は軽度・中等度では比較的保たれるため，食べない場合には，まずは本人に理由を聞き，心配事を解消できるよう環境を整える．

重症度	軽度～中等度	重度
摂食嚥下障害の特徴	・幻視や錯視（食物のなかに虫や鳥の羽が入っているなど）により食べない（⇒盛りつけ直す，ふりかけ等が虫にみえる場合には事前にかけない） ・幻覚（幻聴・幻視）や妄想により食べない（⇒不安解消，薬物の調整） ・注意・覚醒レベルの変動から摂食を中断（⇒睡眠覚醒リズムへの支援，薬物の調整で対応） ・注意障害や認知機能の変動により食事摂取量の変動がある（⇒薬物の調整，食べないときの要因への介入で対応） ・視空間認知障害により食物までの距離が正確につかめず食物をすくえない，食物の位置関係がわからず食べ残すなど（⇒食器を手に持ち食べる支援，食卓や椅子の調整） ・パーキンソニズム（無動・固縮）による中断，ジスキネジアによる咀嚼や食塊形成，咽頭への送り込みに障害（⇒口腔リハビリテーション，姿勢や食形態の調整，薬物の調整で対応）	・ドーパミン不足や抗精神病薬への過敏性による嚥下反射惹起の低下による咽頭期障害，不顕性誤嚥も多い（⇒誤嚥性肺炎予防に向けた支援，ドパミン製剤の調整）

※参考までに「（⇒　）」で支援の例を示す

Chapter 11　Lewy小体型認知症（dementia with Lewy bodies；DLB）（表8）→（eラーニング▶スライド12）

　Lewy小体とは，神経細胞の内部にみられる異常な円形状の構造物（封入体）であり，おもにα-シヌクレインというタンパク質でできている．Lewy小体型認知症とは，脳幹をはじめ全身にLewy小体が多数蓄積する変性疾患である．ちなみに，脳幹部のみにLewy小体が蓄積されているのがParkinson病であるため，類似した症状を呈する．視覚を司る後頭葉の血流低下が6～7割に認められることも特徴の一つである．DLBの臨床診断基準（2017年改訂版）の中核的特徴とされる注意や覚醒レベルの変動を伴う認知機能の変動，幻視，パーキンソニズムはいずれも摂食嚥下障害をもたらすほか，支持的特徴としての抗精神病薬への過敏性，姿勢の不安定さ，嗅覚低下，妄想，幻聴，顕著な自律神経症状なども摂食嚥下障害をもたらす．

表10 前頭側頭型認知症（frontotemporal dementia；FTD）

神経病理学的特徴：前頭葉と側頭葉に，異常なタンパク質（タウタンパク型，非タウタンパク型：TDP43）が蓄積して神経細胞が脱落・減少し，萎縮．
おもな症状（Nearyら，1998）
- 表情が乏しい
- 脱抑制：前頭葉の萎縮により，礼節や社会通念が欠如，他の人からどう思われるかを気にしなくなり，自己本位的な行動（我が道を行く行動）や万引きや道路の逆走などの反社会的行為
- 常同行動：毎日決まったコースを散歩する常同的周遊や同じ時刻に同じ行為を毎日行う時刻表的生活
- 注意の転導性の亢進：一つの行為を持続できない注意障害
- 被影響性の亢進：外的刺激に反射的に反応，模倣行動や強迫的言語応答
- 食行動の変化：過食，濃厚な味付け，甘い物を好むなどの食嗜好の変化
- 自発性の低下：自己や周囲に対して無関心・無気力になり，自発性が低下

○知覚，空間的能力，記憶などの道具的認知機能は正常か比較的良好

▶ Chapter 11の確認事項 ▶ eラーニング スライド12対応

1 Lewy小体型認知症の概要を理解する．

Chapter 12　Lewy小体型認知症の摂食嚥下障害（表9）→（eラーニング ▶ スライド13）

　Lewy小体型認知症では，幻覚や錯視，妄想，認知機能の変動等の多様な症状により，認知症の重症度が軽度・中等度から先行期障害が認められる．また，中等度以降では準備期・口腔期・咽頭期の障害を伴うこともある．記憶は軽度・中等度では比較的保たれるため，食べない場合には，まずは本人に理由を聞き，心配事を解消できるよう環境を整えることが必要である．重度になると，ドーパミン不足や抗精神病薬への過敏性による嚥下反射惹起の低下による咽頭期障害，不顕性誤嚥が認められることがある．

▶ Chapter 12の確認事項 ▶ eラーニング スライド13対応

1 Lewy小体型認知症による摂食嚥下障害の特徴を理解する．

Chapter 13　前頭側頭型認知症（frontotemporal dementia；FTD）（表10）→（eラーニング ▶ スライド14）

　前頭葉と側頭葉に異常なタウタンパクなどが蓄積し，神経細胞が脱落・減少する．表情が乏しくなり，前頭葉の萎縮による脱抑制（社会通念の欠如や自己本位的な我が道を行く行動，反社会的行為）や，時刻表を刻むような常同行動，外的刺激に影響を受ける被影響性の亢進，食行動の変化，自発性の低下（無関心・無気力）などの特徴的な症状を呈する．しかし，知覚，空間的能力，記憶などの道具的認知機能は比較的良好である．

▶ Chapter 13の確認事項 ▶ eラーニング スライド14対応

1 前頭側頭型認知症の概要を理解する．

表11　前頭側頭型認知症の摂食嚥下障害

・認知症の重症度が軽度・中等度から，脱抑制や被影響性の亢進，自発性の低下などによる先行期の障害が認められることがあるが，咀嚼・嚥下機能は比較的保持されているため，認知症が重度になるまで咽頭期の障害がみられず，摂食動作は保たれることが多い．

重症度	軽度～中等度	重度
摂食嚥下障害の特徴	・脱抑制や被影響性の亢進により，食事の途中で立ち去る（⇒立ち去る要因が環境にないか見直す） ・脱抑制により，咀嚼・嚥下前に食べ物を口中にどんどん詰め込む（早食い）（⇒食事を一口サイズにカット，食器のサイズや食具の工夫，一品ずつ提供など） ・嗜好の変化により甘い物が嫌いだった人が好むようになったり，過食となったりする（⇒食事以外のことで楽しめる工夫） ・常同行動により，いつも同じ時刻に，同じ場所で，同じ物を食べることに執着（⇒確立した生活リズムを活かす支援）	・時に呂律の障害など筋萎縮性側索硬化症でみられるような症状や嚥下障害を伴う（⇒誤嚥性肺炎予防に向けた支援）

※参考までに（⇒　）で支援の例を示す

Chapter 14　前頭側頭型認知症の摂食嚥下障害 →（eラーニング▶スライド15）

　前頭側頭型認知症では，認知症の重症度が軽度・中等度から，脱抑制による早食いや被影響性の亢進による食事途中での立ち去り，嗜好の変化，自発性の低下などによる先行期の障害が認められることがある（**表11**）．しかし，咀嚼・嚥下機能は比較的保持されているため，認知症が重度になるまで咽頭期の障害はみられず，摂食動作は保たれることが多い．

Chapter 14の確認事項 ▶ eラーニング スライド15対応

1　前頭側頭型認知症による摂食嚥下障害の特徴を理解する．

第1分野 摂食嚥下リハビリテーションの全体像
3―原因と病態

11 加齢と摂食嚥下機能

Lecturer ▶ 辻村恭憲

新潟大学大学院医歯学総合研究科
摂食嚥下リハビリテーション学分野准教授

学習目標 Learning Goals
- 高齢者にみられる摂食嚥下に関連した問題を知る
- 加齢による形態と機能の変化を理解する

▶ Chapter 1　はじめに → (eラーニング▶スライド1)

　高齢者には摂食嚥下に関連したさまざまな問題が生じる．たとえば低栄養，窒息，誤嚥性肺炎などである．また，食べる楽しみが奪われることは生活の質（quality of life；QOL）の低下へとつながる．ここでは高齢者の摂食嚥下に関わる問題と，摂食嚥下機能の加齢変化について解説する．

▶ Chapter 2　高齢者にみられる低栄養（表1）→ (eラーニング▶スライド2)

　高齢者には若年者とは異なる低栄養のリスク要因がある．絶対的な低栄養基準がなく，低栄養の有病率は明確ではないが，要介護状態にある高齢者における低栄養の有病率は明らかに高いとされている．若年時と比較すると加齢とともに食事摂取量は低下するが，それが必ずしも低栄養につながるわけではない．高齢者がもつ低栄養の要因としては，社会的・精神心理的要因，疾病，加齢が挙げられる．低栄養はADLの低下，易感染性，褥瘡の形成，合併症の発症，生命予後の短縮などの悪影響をもたらす．

▶ Chapter 2の確認事項 ▶ eラーニング スライド2対応

1. 高齢者では低栄養のリスクがあること，その要因として社会的要因・精神心理的要因・疾病・加齢があることを理解する．
2. 低栄養は，ADLの低下，易感染性，褥瘡の形成，合併症の発症，生命予後の短縮などの悪影響をもたらすことを理解する．

表1　高齢者にみられる低栄養

高齢者がもつ低栄養の要因	① 社会的要因（貧困，独居，介護不足） ② 精神心理的要因（認知機能障害，うつ） ③ 疾病要因（炎症・悪性腫瘍，薬剤効果，歯科的問題，嚥下障害） ④ 加齢要因（嗅覚・味覚の低下，食欲低下）
低栄養の及ぼす影響	① 日常生活動作（ADL）の低下 ② 免疫能の低下および易感染性 ③ 褥瘡の形成，合併症の発症 ④ 生命予後の短縮

・要介護状態にある高齢者は，低栄養の有病率が明らかに高い

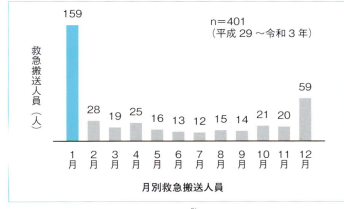
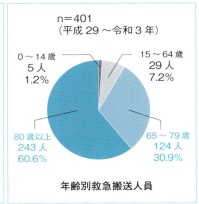

図1　高齢者に多い窒息事故（消費者庁[2]）
・窒息は高齢者の不慮の事故の第2位（第1位は転倒・転落・墜落）．
・餅を食べる機会が多い年末年始が，窒息事故発生の5割を占める．
・窒息事故は，65歳以上が9割を占める．

▶Chapter 3　高齢者に多い窒息事故 (図1) → (eラーニング ▶ スライド3)

　窒息とは，呼吸が障害された結果，血中酸素濃度の低下および二酸化炭素濃度の上昇が生じ，脳などの内臓組織に機能障害をきたした状態をいう．窒息は，高齢者の不慮の事故死原因のうち第2位と多くを占める（第1位は転倒・転落・墜落，第3位は溺死・溺水）．統計的には，餅を食べる年末年始が多いとされ，65歳以上の高齢者が全体の9割を占めている．また，ご飯，パン，菓子，肉なども注意が必要で，特に高齢者では複数ピースや半固形食でも窒息が多いと報告されている．

▶ Chapter 3の確認事項 ▶ eラーニング スライド3対応

1 高齢者に窒息事故が多いことを理解する．

▶Chapter 4　高齢者に多い誤嚥性肺炎 (図2) → (eラーニング ▶ スライド4)

　肺炎のうち約7割を75歳以上の後期高齢者が占め，高齢者肺炎の7割以上を誤嚥性肺炎が占めている．日本人死因第6位である誤嚥性肺炎は，近年は増加傾向を認めており，2021年では年間約5万人が死亡している．老人保健施設や在宅介護，療養病床に入院している患者を対象とした医療・介護関連肺炎の多くが誤嚥性肺炎と考えられる．

▶ Chapter 4の確認事項 ▶ eラーニング スライド4対応

1 肺炎患者のうち高齢者が占める割合が高く，そのうち7割以上が誤嚥性肺炎であることを理解する．

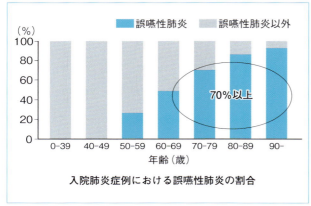

図2 高齢者に多い誤嚥性肺炎（厚生労働省[4,5]）
・肺炎患者のうち，75歳以上が約7割を占める．
・高齢者肺炎のうち，誤嚥性肺炎が7割以上を占める．
・誤嚥性肺炎による死亡者数は，増加傾向にある．
・医療・介護関連肺炎の多くが誤嚥性肺炎と考えられる．

▶ Chapter 5　加齢に伴う誤嚥リスクの増加（表2）→（eラーニング▶スライド5）

　加齢に伴い誤嚥リスクは増加する．老嚥とは，加齢に伴う摂食嚥下機能の低下のことであるが，単体では嚥下障害は生じないと考えられている．誤嚥リスクを増加する加齢関連疾患例としては脳血管障害，認知症などが挙げられ，誤嚥リスクを増加する治療例としては頭頸部癌の手術，化学・放射線治療などが挙げられる．

▶ Chapter 5の確認事項 ▶eラーニング スライド5対応

1. 加齢に伴い誤嚥リスクが増加し，その背景には疾患として脳血管障害や認知症が，医療行為によるものとして頭頸部癌手術，化学・放射線療法などがあることを理解する．

▶ Chapter 6　嗅覚・味覚の加齢変化（表3）→（eラーニング▶スライド6）

　風味は嗅覚と味覚を中心とした複合感覚であり，食物のおいしさに大きく影響する．嗅覚は50代までは維持されているが，70代以降に急激に低下し，特に男性は女性よりも早く嗅覚閾値の上昇がみられる．味覚は70歳代で甘味，塩味，酸味，苦味，すべてで閾値上昇がみられる．塩味の閾値が上昇しやすく，高齢者が濃い味付けを好むことへとつながっている．高齢者の味覚閾値の上昇に考慮すべき要因として，亜鉛低下を引き起こす薬剤，唾液分泌を含めた口腔環境の変化，認知機能低下により正しく判断できていない可能性などが挙げられる．

▶ Chapter 6の確認事項 ▶eラーニング スライド6対応

1. 加齢に伴い味覚，嗅覚は低下していくことを理解する．

表2　加齢に伴う誤嚥リスクの増加

- 加齢に伴う誤嚥リスクの増加は，老人性嚥下機能低下（老嚥）と加齢関連疾患に起因する
- 老嚥は，加齢に伴う摂食嚥下機能の低下を意味し，予備能力が減少して嚥下障害が発症しやすくなった状態
- 誤嚥リスクを増加させる加齢関連疾患や治療の例
  ① 脳血管障害
  ② 認知症
  ③ パーキンソン病
  ④ 慢性閉塞性肺疾患
  ⑤ 変形性頸椎症（骨棘）
  ⑥ 頭頸部癌や甲状腺癌に対する手術，化学・放射線療法
  ⑦ 医原性（薬剤，気道挿管，経鼻胃管）

表3　嗅覚・味覚の加齢変化

嗅覚	・嗅覚は50代までは一定レベルを保持するが，70代以降に急激に低下する ・男性は女性よりも若齢から嗅覚閾値の上昇がみられる
味覚	・70代では基本四味の味覚閾値はすべて上昇する ・特に塩味の閾値が上昇しやすく，高齢者は濃い味付けを好む ・高齢者の味覚閾値上昇において考慮すべき要因 　① 亜鉛キレート作用のある薬剤の服用 　② 口腔内環境の変化 　③ 認知機能の低下

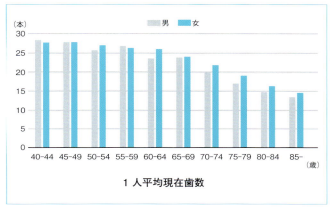
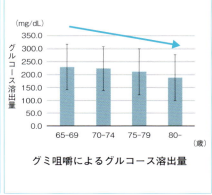

図3　歯数と咀嚼機能の加齢変化（左：厚生労働省[10]，右：農林水産省[11]）
- 現在歯数（残存歯数）は，男女とも加齢とともに減少する．
- 咀嚼機能は，加齢とともに低下する．
- 咀嚼機能の加齢変化の要因
  ①歯数減少による咬合力の低下　②唾液分泌速度の低下
  ③口腔感覚の低下　④口唇，舌などの巧緻性の低下

Chapter 7　歯数と咀嚼機能の加齢変化（図3）→（eラーニング▶スライド7）

　残存歯数は，85歳を超えると男女とも15本未満となっている．また，高齢となるほど咀嚼機能が低下し，咀嚼回数を増加させることで補うか，嚥下時の食物の粉砕度が低下した状態で嚥下をしていると考えられる．加齢による咀嚼機能低下の要因としては，歯数減少に伴う咬合力低下が大きく，他に唾液分泌低下による食塊形成困難，食品や食塊を認知する口腔立体認知能の低下，口唇・舌・頰などの巧緻性低下などが考えられる．

Chapter 7の確認事項 ▶ eラーニング スライド7対応

1. 加齢に伴い咀嚼機能は低下し，その要因として歯数減少に伴う咬合力低下が大きいことを理解する．
2. その他，唾液分泌低下，口腔立体認知機能低下，口唇・舌・頰の巧緻性低下などが関係する．

表4 唾液腺と舌の加齢変化

唾液腺	・加齢により腺房細胞数が減少し，脂肪細胞と結合組織が増加する ・加齢により安静時唾液量は減少するが，刺激時唾液量は変わらない ・高齢者の口腔乾燥症または関連症状は，全身疾患や薬剤の影響も大きい
舌	・加齢に伴う形態学的変化 　① 筋線維数の減少 　② 脂肪組織の増加 　③ 粘膜の萎縮 ・舌圧は加齢に伴い低下する

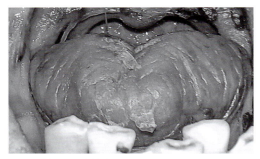

図4　乾燥した高齢者の舌

▶ Chapter 8　唾液腺と舌の加齢変化（表4）→（eラーニング▶スライド8）

　唾液分泌低下や舌機能の低下は咀嚼障害，嚥下障害，構音障害につながる．加齢により唾液腺の腺房細胞数は減少し，脂肪細胞と結合組織は増加する．加齢により安静時唾液量は減少するが，刺激時唾液量は変わらないとされる．高齢者の多くが口腔乾燥症や関連症状を訴えるが（図4），これには糖尿病などの全身疾患や降圧剤，抗パーキンソン病薬など薬剤の影響も大きい．舌は加齢に伴う筋線維数の減少，脂肪組織の増加，粘膜の萎縮がみられる．また，舌圧は加齢に伴い低下する．

▶ Chapter 8の確認事項 ▶ eラーニング スライド8対応

1. 唾液分泌低下や舌機能の低下は咀嚼障害，嚥下障害，構音障害につながることを理解する．
2. 加齢により安静時唾液量は減少するが刺激時唾液量は変わらないとされ，高齢者の多くが訴える口腔乾燥症や関連症状には糖尿病などの全身疾患や降圧剤，抗パーキンソン病薬など薬剤の影響も大きいことを理解する．
3. そのほか，加齢に伴い舌圧も低下する．

▶ Chapter 9　咽頭と喉頭の加齢変化（表5）→（eラーニング▶スライド9）

　高齢者は，若年者よりも喉頭が下方に変位（喉頭下垂）し，咽頭腔が拡大していることが多い．喉頭下垂は喉頭を支える筋や靱帯の筋力の低下により生じ，筋長の長い男性のほうが女性よりも顕著にみられる．喉頭下垂は嚥下時の喉頭挙上距離の増加と喉頭挙上時間の延長を引き起こし，これは咽頭残留や喉頭侵入のリスクとなる．図5a，bは嚥下造影時の側面画像である．若年者（30代男性，図5a）と比べて高齢者（70代男性，図5b）では喉頭が下垂（破線矢印）し，咽頭腔が拡大（青線）している．下咽頭腔の前後径は，骨棘形成のため高齢者が狭くなっている．

▶ Chapter 9の確認事項 ▶ eラーニング スライド9対応

1. 高齢者の咽喉頭の解剖学的特徴を理解する．
2. 加齢による喉頭下垂によって，嚥下にどのような影響をもたらすかを理解する．

表5 咽頭と喉頭の加齢変化

- 加齢による頭蓋に対する喉頭位置は低下する（喉頭下垂）
- 喉頭下垂は男性において顕著にみられる
- 喉頭下垂は，嚥下時の喉頭挙上距離の増加と喉頭挙上時間の延長を引き起こし，咽頭残留や喉頭侵入を生じやすくする
- 加齢により咽頭腔は拡大する

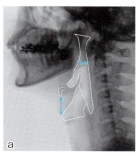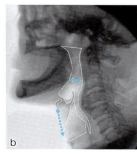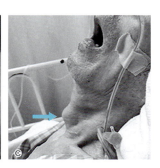

図5 若年者と高齢者の咽頭・喉頭の比較
a：若年者　b：高齢者　c：喉頭下垂を認める男性

Chapter 10　咽頭期の加齢変化（表6）→（eラーニング▶スライド10）

　高齢者にみられる咽頭期の変化として，食塊の動きに対する嚥下誘発の遅延，食塊移送時間の延長，咽頭収縮時間の延長と咽頭収縮圧の増加，食道入口部開大量の減少，開大時間の延長，弛緩圧の上昇が報告されている．また，開大量が減少した食道入口部に食塊を通過させるために，代償的に下咽頭圧が増加すると考えられている．一方，舌骨および舌骨-喉頭複合体の移動距離および時間的要素は，研究によって結果がさまざまで一定した見解は得られていない．健常高齢者においては，誤嚥や咽頭残留の増加を示した研究は少なく，加齢変化のみでこのような変化を生じる可能性は低いと考えられている．

Chapter 10の確認事項 ▶eラーニング スライド10対応

1 咽頭期の加齢変化について理解する．

Chapter 11　食道および食道期の加齢変化（表7）→（eラーニング▶スライド11）

　高齢者は，若年者と比較して食道の筋層内を神経支配するAuerbach（アウエルバッハ）神経叢（筋層間神経叢）の神経節細胞数が減少し，加齢に伴う食道機能低下の一因となっていると推察される．また，加齢に伴う横紋筋と平滑筋の断面積の増加と食道壁の硬化も報告されており，高齢では食道壁は大きく，硬くなると考えられる．機能面では，食道体部においては，80歳以上で蠕動収縮圧の低下が生じると報告されている．また，高齢者では下部食道括約筋の機能異常により，胃食道逆流が増加し，それに伴う食道粘膜障害を発生するリスクがある．さらに加齢に伴う横隔膜の弛緩や円背による腹圧上昇によって食道裂孔ヘルニアが発生しやすい．

表6 咽頭期の加齢変化

・高齢者でみられる咽頭期の変化
　① 嚥下誘発の遅延
　② 食塊移送時間の延長
　③ 咽頭収縮時間の延長，咽頭収縮圧の増加
　④ 食道入口部開大量の減少，食道入口部開大時間の延長
・舌骨運動における加齢変化は，一定の見解は得られていない
・健常高齢者において，誤嚥や咽頭残留の増加を示した研究は少ない

表7 食道および食道期の加齢変化

・食道の加齢変化
　① 支配神経細胞数の減少
　② 横紋筋と平滑筋の断面積の増加
　③ 食道壁の硬化
・80歳以上では，食道体部の収縮圧の低下
・下部食道括約筋の機能異常による胃食道逆流の増加
・横隔膜の弛緩や腹圧上昇による食道裂孔ヘルニアの発生

表8 呼吸機能の加齢変化

・呼吸器の加齢変化
　① 呼吸筋の筋力低下　② 胸壁の硬化　③ 肺弾性収縮力の低下
・呼吸機能の加齢変化
　① 動脈血酸素分圧の低下　② 肺活量，1秒量，1秒率の低下
　③ 残気量，機能的残気量の増加
・嚥下と呼吸の協調性の低下
　① 嚥下前後の呼吸位相パターンの変化（呼気-嚥下-呼気型の減少）
　② 嚥下性無呼吸の持続時間の延長
・咳嗽反射と咳衝動の低下

Chapter 11 の確認事項 ▶ eラーニング スライド11 対応

[1] 食道期の加齢変化について理解する．

Chapter 12　呼吸機能の加齢変化 (表8) → (eラーニング ▶ スライド12)

　加齢に伴う呼吸器の変化として，横隔膜や肋間筋などの呼吸筋の筋力低下，肋軟骨石灰化などの影響による胸壁の硬化，肺胞壁，間質における弾性線維の変性・減少などによる肺弾性収縮力の低下が挙げられる．換気機能においては，動脈血酸素分圧が低下する．呼吸機能検査では，肺活量，1秒量，1秒率が低下し，残気量と機能的残気量が増加する．加齢とともに嚥下と呼吸の協調は乱れる．健常成人で最も多い呼気-呼気型が減り，呼気-吸気型，吸気-呼気型，吸気-吸気型が増えることは，誤嚥リスクにつながる．また，高齢者でみられる嚥下性無呼吸の持続時間の延長は，加齢に伴う生理的な嚥下運動変化を代償していると推察できる．加齢に伴う咳嗽反射と咳衝動の低下が報告されている．

Chapter 12 の確認事項 ▶ eラーニング スライド12 対応

[1] 加齢に伴い呼吸器の機能は低下し，動脈血酸素分圧，肺活量，1秒量，1秒率が低下することを理解する（残気量，機能的残気量は増加する）．
[2] 加齢とともに，呼吸と嚥下の協調は乱れていくことを理解する．

文　献

1) 葛谷雅文：低栄養．大内尉義，秋山弘子編集代表，新老年学，第3版，東京大学出版，東京，583-585，2010．
2) 消費者庁：高齢者の事故に関するデータとアドバイス等．https://www.caa.go.jp/policies/policy/consumer_safety/caution/caution_055/assets/caution_055_211208_0002.pdf，参照日2023年8月20日
3) Berzlanovich AM, Fazeny-Dörner B, Waldhoer T, et al.：Foreign body asphyxia：a preventable cause of death in the elderly. Am J Prev Medm, 28(1)：65-69, 2005.
4) 厚生労働省：高齢化に伴い増加する疾患への対応について．https://www.mhlw.go.jp/file/05-Shingikai-10801000-Iseikyoku-Soumuka/0000135467.pdf，参照日2023年8月20日
5) 厚生労働省：人口動態調査．https://www.e-stat.go.jp/dbview?sid=0003411657，参照日2023年8月20日
6) 日本呼吸器学会医療・介護関連肺炎診療ガイドライン作成委員会：医療・介護関連肺炎診療ガイドライン．https://minds.jcqhc.or.jp/docs/minds/NHCAP/CPGs2011_NHCAP.pdf，参照日2023年8月20日
7) Ney DM, Weiss JM, Kind AJ：Senescent swallowing：impact, strategies, and interventions. Nutr Clin Pract, 24(3)：395-413, 2009.
8) 武田雅俊：精神疾患．大内尉義，秋山弘子編集代表，新老年学，第3版，東京大学出版，東京，1183，2010．
9) 硲　哲崇：味覚異常．岩田幸一，井上富雄ほか編集，基礎歯科生理学，第7版，医歯薬出版，東京，340-341，2020．
10) 厚生労働省：令和4年歯科疾患実態調査結果の概要．https://www.mhlw.go.jp/content/10804000/001112405.pdf，参照日2023年8月20日
11) 農林水産省：令和2年度第2回食育推進評価専門委員会資料．https://www.maff.go.jp/j/syokuiku/kaigi/attach/pdf/r02_02-36.pdf，参照日2023年8月20日
12) 田中陽子：唾液腺．佐藤裕二，植田耕一郎，菊谷　武編集主幹，よくわかる高齢者歯科学，永末書店，京都，66-68，2020．
13) 野本たかと：舌．佐藤裕二，植田耕一郎，菊谷　武編集主幹，よくわかる高齢者歯科学，永末書店，69-70，2020．
14) Jardine M, Miles A, Allen J：A systematic review of physiological changes in swallowing in the oldest old. Dysphagia, 35(3)：509-532, 2020.
15) Paul Menard-Katcher, Gary W：Normal Aging and the Esophagus. Shaker R, Belafsky PC, Postma GB, Easterling C ed, Principle of deglutition, 287-295, 2012.
16) 日本呼吸器学会編集：呼吸器の加齢．新呼吸器専門医テキスト，南江堂，東京，20，2015．
17) Ebihara S, Ebihara T, Kanezaki M, et al.：Aging deteriorated perception of urge-to-cough without changing cough reflex threshold to citric acid in female never-smokers, Cough, 28：7(1), 3, 2011.
18) Newnham DM, Hamilton SJ：Sensitivity of the cough reflex in young and elderly subjects. Age Ageing, 26(3)：185-188, 1997.

第1分野 摂食嚥下リハビリテーションの全体像
3—原因と病態

12 摂食嚥下に影響する要因

Lecturer ▶ 小口和代

刈谷豊田総合病院
リハビリテーション科部長

学習目標 Learning Goals

- 意識障害の原因がわかる
- 気管カニューレの種類がわかる
- 経鼻経管栄養チューブの嚥下機能への影響がわかる

▶ Chapter 1　摂食嚥下に影響を及ぼすもの（表1）→（eラーニング ▶ スライド2）

　摂食嚥下障害は，原因疾患によって機能的障害と器質的障害に大別される．一方，その原因疾患に関わらず，摂食嚥下機能に影響を及ぼすものがある．代表的なものは加齢である（p.110以降参照）．
　ここでは，加齢以外で，臨床的によく遭遇する影響因子である意識レベルと，代表的な医原性の問題のうち薬剤，気管カニューレ，経鼻経管栄養チューブについて解説する．

表1　摂食嚥下に影響を及ぼすもの
・意識障害
・医原性の問題
　　薬剤
　　気管カニューレ
　　経鼻経管栄養チューブ

▶ Chapter 2　意識と嚥下 →（eラーニング ▶ スライド3）

　脳幹部（中脳，橋，延髄）には，脳神経核とともに脳幹網様体という意識，注意，睡眠覚醒リズムの中枢が存在する（図1）．脳幹網様体は嚥下の中枢でもある．意識障害があれば，摂食嚥下障害を合併する．意識レベルでJCS（Janpan Coma Scale）1桁以下が，直接訓練開始基準の一つとなる．

 Chapter 2の確認事項 ▶ eラーニング スライド3対応

1　脳幹網様体の動きを理解する．
2　意識障害と摂食嚥下障害の関係を理解する．

▶ 118

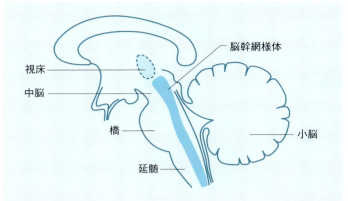

図1 意識と嚥下（伊藤，2001.[1] 引用改変）
・意識，注意，睡眠覚醒リズムの中枢は脳幹網様体である．
・嚥下中枢も脳幹網様体に存在する．
・意識障害があれば摂食嚥下障害が合併する．
・JCS（Janpan Coma Scale）1桁以下が直接訓練開始基準の一つとなる．

表2 意識レベルの評価（Japan Coma Scale：JCS）

Ⅰ（1桁で表現） 刺激しないでも覚醒している状態	1 2 3	だいたい意識清明だが，いま一つはっきりしない 見当識障害がある 自分の名前，生年月日がいえない
Ⅱ（2桁で表現） 刺激すると覚醒する状態 （刺激をやめると眠り込む）	10 20 30	普通の呼びかけで容易に開眼する．合目的的な運動（たとえば右手を握れ，離せ）をするし，言葉も出るが間違いが多い 大きな声または体を揺さぶることにより開眼する．簡単な命令に応ずる（たとえば離握手） 痛み刺激を加えつつ呼びかけを繰り返すとかろうじて開眼する
Ⅲ（3桁で表現） 刺激をしても覚醒しない状態	100 200 300	痛み刺激に対し，はらいのけるような動作をする 痛み刺激で少し手足を動かしたり，顔をしかめる 痛み刺激に反応しない

▶ Chapter 3　意識レベルの評価（Japan Coma Scale；JCS）
→（eラーニング ▶ スライド4）

わが国でよく使用される意識障害の評価法としてJapan Coma Scale（JCS）がある（**表2**）．刺激に対する覚醒の程度により3段階に分け，各段階をさらに3段階で評価することから，3-3-9度方式とも呼ばれる．

 Chapter 3の確認事項 ▶ eラーニング スライド4対応

1. 意識レベルの評価法を理解する．
2. JCSの特徴を押さえる．

▶ Chapter 4　意識障害の原因（表3）→（eラーニング ▶ スライド5, 6）

代表的な意識障害の原因は，中枢神経に病変が存在する疾患である脳卒中・外傷性脳損傷・脳腫瘍などである．一方で，脳に器質的病変がなく意識障害をきたす疾患・病態も多数ある．特に，全身状態が悪化するときに意識障害を合併しうることに注意しなければならない．
また，意識障害の原因は単一でなく複数併存している場合も多く，意識レベルの改善には全身状態の

表3 意識障害の原因（水野，2016.[2]）を引用改変）

1. 中枢神経疾患
   脳卒中，外傷性脳損傷，脳腫瘍，脳炎，水頭症など
2. 代謝性・内分泌疾患
   糖代謝異常，電解質異常，代謝性アシドーシス，肝性昏睡，尿毒症，CO_2ナルコーシスなど
3. 無酸素性障害
   ショック，低酸素血症，窒息，重症貧血など
4. 中毒性疾患
   アルコール，睡眠薬，抗精神病薬，抗てんかん薬など
5. 体温異常
6. 心因性

意識障害の原因疾患・病態には，脳に器質的病変がないものも多数ある

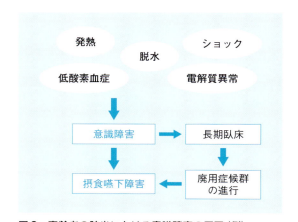

図2 高齢者の肺炎における意識障害の原因〈例〉
意識障害の原因は複数併存している場合も多い．意識レベルの改善には，全身状態の改善が必須である．

改善が必須である．例としては，高齢者の肺炎に伴う発熱や低酸素血症，水分摂取不足による脱水，さらに脱水に伴って起きるショックや電解質異常があげられる．これらは全て意識障害をきたしうる．

意識障害は臥床を長期化させ，廃用症候群が進行する．そして，さらに摂食嚥下障害が悪化するという悪循環を形成する（図2）．

▶ **Chapter 4の確認事項** ▶ eラーニング スライド5, 6対応

1. 意識障害の原因について理解する．
2. 複合的要素による意識障害の発症と，意識障害の身体機能への影響を理解する．

▶ Chapter 5　薬剤の副作用 → （eラーニング ▶ スライド7）

薬剤による摂食嚥下障害の発現機序は，①筋力・錐体外路系の障害，②自律神経系の障害，③意識・精神機能の低下，④口腔乾燥・味覚低下など口腔機能の低下に大別される[3,4]．

表4に，摂食嚥下障害をきたす代表的な薬剤をあげる．

▶ **Chapter 5の確認事項** ▶ eラーニング スライド7対応

1. 薬剤による摂食嚥下障害の発現機序を理解する．
2. 摂食嚥下機能に影響する代表的な薬剤を押さえる．

▶ Chapter 6　摂食嚥下機能を改善する薬剤 → （eラーニング ▶ スライド8）

薬剤による摂食嚥下障害改善の発現機序としては，原疾患・病態の改善，嚥下・咳反射の改善がある（表5）．後者としてサブスタンスP（咽頭・喉頭の迷走神経知覚枝終末から放出される嚥下・咳反射の閾値を低下させる物質）の増加を促進したり分解を抑制する薬剤が注目されている[5]．

表4 薬剤別のおもな副作用

	筋力・錐体外路系	自律神経系	意識・精神機能	口腔機能
抗精神病剤 抗うつ剤 抗不安剤	○		○	○
抗コリン剤		○		○
ステロイド	○			
筋弛緩剤	○		○	
抗癌剤				○
抗てんかん剤 抗ヒスタミン剤			○	○
利尿剤				○
制吐剤	○			

表5 摂食嚥下機能を改善する薬剤

原疾患・病態の改善	〈例〉 パーキンソン病 →ドーパ製剤 頸部筋の痙縮 →筋弛緩薬
嚥下・咳反射の改善	カプサイシン，L-ドーパ：サブスタンスP[※]の放出 アンギオテンシン変換酵素（ACE）阻害薬：サブスタンスPの分解抑制 アマンタジン：ドパミンを放出させドパミンがサブスタンスPを放出

※咽頭・喉頭の迷走神経知覚枝終末から放出される嚥下・咳反射の閾値を低下させる物質

▶ Chapter 6の確認事項 ▶ eラーニング スライド8対応

1 摂食嚥下障害に対する薬剤の薬効，発現機序を理解する．
2 摂食嚥下機能を改善する代表的な薬剤を押さえる．

▶ Chapter 7　気管切開 → （eラーニング ▶ スライド9）

　気管切開術は，上気道閉塞や声門下狭窄，呼吸不全，気道分泌物の喀出困難な例に施行される．輪状軟骨の下方，上部気管輪間で切開し，気管カニューレが挿入される．
　図3に示すように，カフ付き・側孔なしカニューレ挿入時の呼吸は声門を通過しない．

▶ Chapter 7の確認事項 ▶ eラーニング スライド9対応

1 気管切開術の適応例を理解する．
2 気管カニューレ挿入にあたっての注意点を理解する．

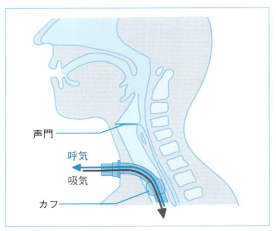

図3　カフ付き・側孔なしカニューレ挿入時の呼吸
カフ付き側孔なしカニューレ挿入時の呼吸は声門を通過しない.

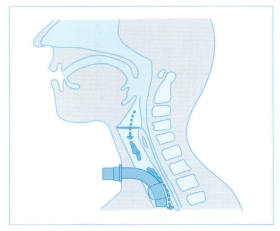

図4　カフ付き・側孔なしカニューレ挿入時の誤嚥
カニューレは誤嚥を防止できない. カフ上に貯留した誤嚥物も気管とカフの隙間から気道下部に流入しうる.

▶ Chapter 8　気管切開および気管カニューレの目的 → （eラーニング▶スライド10）

　気管切開および気管カニューレの目的として，①上気道狭窄に対する気道の確保，②補助換気（人工呼吸器管理），③気道分泌物の吸痰がある[6]. ただし，気管カニューレは誤嚥を防止できない.

　カニューレは声門下に挿入されており，カフ上に貯留した誤嚥物の喀出は困難である. 誤嚥物は気管とカフの隙間から気道下部にも流入しうる（図4）.

▶ **Chapter 8の確認事項** ▶ eラーニング スライド10対応

1. 気管切開および気管カニューレの使用目的を理解する.
2. カニューレ装着時における誤嚥への対応を理解する.

▶ Chapter 9　気管カニューレの種類 （表6） → （eラーニング▶スライド11）

　気管カニューレは，カフ・側孔の有無により機能が異なる. 患者の摂食嚥下機能，呼吸機能により適切な種類を選択する. 例として，図5にカフ付き・側孔ありカニューレを示す. 一方弁を装着すると呼気が声門を通過し，発声が可能となる.

▶ **Chapter 9の確認事項** ▶ eラーニング スライド11対応

1. 気管カニューレの種類を理解する.

表6 気管カニューレの種類

		人工呼吸器装着	カフ下への誤嚥物流入軽減	発声
カフ付き	側孔なし	○	○	×
	側孔あり	×	×	○
カフなし	側孔なし	×	×	○
	側孔あり	×	×	○

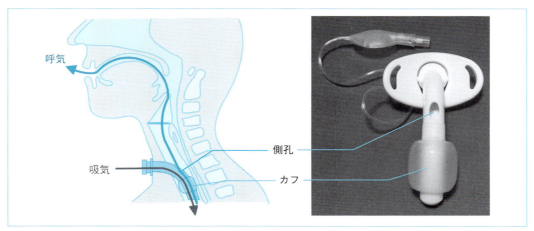

図5 一方弁装着中のカフ付き・側孔ありカニューレの呼吸
一方弁を装着すると，呼気は声門を通過し発声可能になる．

▶Chapter 10　気管カニューレの摂食嚥下機能への影響（表7）
→（eラーニング▶スライド12）

　気管カニューレは，①喉頭挙上の減少，②カフによる頸部食道の圧迫，③気道感覚閾値の上昇，④声門下圧維持不能，⑤喉頭閉鎖における反射閾値上昇などにより，摂食嚥下機能を阻害する[7]．吸気・呼気が声門を通過しないため喉頭粘膜が感覚低下し，その結果，咳反射の消失を引き起こし，高率に不顕性誤嚥を認める（図6）．

▶ Chapter 10の確認事項 ▶ eラーニング スライド12対応

1 気管カニューレの摂食嚥下機能への影響について理解する．

▶Chapter 11　経鼻経管栄養チューブの摂食嚥下機能への影響（表8）
→（eラーニング▶スライド13）

　経鼻経管栄養チューブの摂食嚥下機能への影響として，①チューブ周囲の不潔化，②嚥下運動の阻害，③胃食道逆流，④留置中の不快感などがある．これらの悪影響を最小限にするために，刺激の少ない細いチューブを使用したり（図7），チューブが交差しないよう鼻腔側と同側の咽頭に挿入する．挿入

表7 気管カニューレの摂食嚥下機能への影響
(日本耳鼻咽喉科学会，2018.[7]より一部改変)

- 喉頭挙上の減少
- カフによる頸部食道の圧迫
- 気道感覚閾値の上昇
 吸気・呼気が声門を通過しないため喉頭粘膜の感覚低下や咳反射の消失を引き起こす
- 声門下圧維持不能
- 喉頭閉鎖における反射閾値上昇

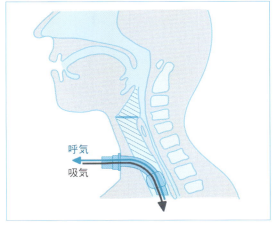

図6 カフ付き・側孔なしカニューレ挿入時の呼気と吸気は声門を通過しない
斜線部分は死腔となっている．

表8 経鼻経管栄養チューブの摂食嚥下機能への影響

① チューブ周囲の不潔化
② 嚥下運動の阻害
③ 胃食道逆流
④ 留置中の不快感

- 悪影響を最小限にするために刺激の少ない細いチューブを使用する
- チューブが咽頭を交差しないように鼻腔側と同側の咽頭に挿入する
- 挿入する鼻腔と反対側に頸部回旋してチューブを挿入するとよい

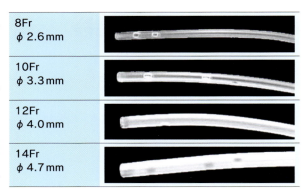

図7 各種経鼻経管栄養チューブ

する鼻腔と反対側に頸部回旋してチューブを挿入するとよい[8]．

▶ Chapter 11 の確認事項 ▶ eラーニング スライド13対応

1. 経鼻経管栄養チューブの摂食嚥下機能への影響を理解する．
2. 経鼻経管栄養チューブによる摂食嚥下機能への影響を抑える方法を理解する．

▶ Chapter 12 経鼻経管栄養チューブの摂食嚥下機能への影響
         ——嚥下内視鏡検査での観察例 → (eラーニング ▶ スライド14)

　図8に，嚥下内視鏡で観察された「① チューブ周囲の不潔化」と「② 嚥下運動の阻害」の例を示す．
　左は，チューブ周囲に粘稠な分泌物や痰が付着している様子である．右は，咽頭内でチューブがとぐろを巻いている．

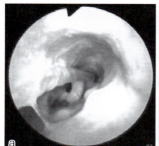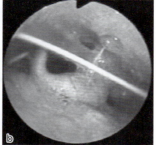

図8 嚥下内視鏡検査での観察例
a:「①チューブ周囲の不潔化」例．チューブの周囲に粘稠な分泌物や痰が付着している．促しても喀出できず吸引しても取り切れない．
b:「②嚥下運動の阻害」例．咽頭でチューブがとぐろを巻いている．患者は意識障害があり自覚症状を訴えられない．

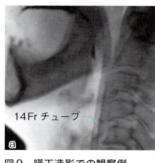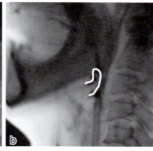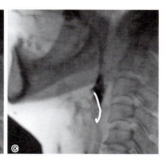

図9 嚥下造影での観察例
a〜c:「②嚥下運動の阻害」例．
b:喉頭最大挙上位で喉頭蓋は反転せず，上向きのままチューブに押し付けられている．
c:チューブを抜去して評価したところ，喉頭最大挙上位で喉頭蓋の反転が観察された．

Chapter 12の確認事項 ▶ eラーニング スライド14対応

1 嚥下内視鏡検査での観察例（チューブ周囲の不潔化，嚥下運動の阻害例）を確認する．

Chapter 13　経鼻経管栄養チューブの摂食嚥下機能への影響 ——嚥下造影での観察例 → (eラーニング ▶ スライド15)

図9に，嚥下造影で観察された「② 嚥下運動の阻害」の例を示す．
　チューブにより喉頭蓋の運動が阻害され，嚥下反射中に喉頭蓋が反転していなかったが，チューブを抜去すると反転した．

Chapter 13の確認事項 ▶ eラーニング スライド15対応

1 嚥下造影での観察例（嚥下運動の阻害例）を確認する．

文　献

1) 伊藤　隆：解剖学講義．第2版．南山堂，東京，681，2001．
2) 水野美邦編：神経内科ハンドブック 鑑別診断と治療 第5版．医学書院，東京，2016．
3) 藤谷順子：薬剤と摂食・嚥下障害．本多知行，溝尻源太郎編，医師・歯科医師のための摂食・嚥下障害ハンドブック，医歯薬出版，東京，55-57，2000．
4) 高橋博達：摂食・嚥下障害と薬物療法．馬場　尊，才藤栄一編，摂食・嚥下障害リハビリテーション，新興医学出版，東京，65-67，2008．
5) 高橋博達，藤島一郎，奥村知香：嚥下に悪影響を与える薬剤．藤島一郎監修，疾患別嚥下障害，医歯薬出版，東京，372-377，2022．
6) 金沢英哲：気管切開管理．才藤栄一，植田耕一郎監修，摂食嚥下リハビリテーション，第3版，医歯薬出版，東京，259-263．2016．
7) 一般社団法人日本耳鼻咽喉科学会編：嚥下障害診療ガイドライン 2018年度．金原出版，東京，2018．（一般社団法人日本耳鼻咽喉科頭頸部外科学会　https://www.jibika.or.jp/uploads/files/guidelines/enge_shougai_2018.pdf，参照日：2023.08.13）
8) 藤森まり子，田中直実：経管栄養．聖隷嚥下チーム，嚥下障害ポケットマニュアル，第4版，医歯薬出版，東京，215-232，2018．

推薦図書

1. 才藤栄一，植田耕一郎監修：摂食嚥下リハビリテーション 第3版．医歯薬出版，東京，2016．
2. 藤島一郎監修：疾患別嚥下障害．医歯薬出版，東京，2022．
3. 水野美邦編：神経内科ハンドブック 鑑別診断と治療．第5版，医学書院，東京，2016．

第1分野 摂食嚥下リハビリテーションの全体像
3─原因と病態

13 合併症：誤嚥性肺炎・窒息・低栄養・脱水

Lecturer ▶ 藤谷順子
国立国際医療研究センター病院
リハビリテーション科医長

学習目標 *Learning Goals*

- 誤嚥性肺炎と発熱についての基本的な知識を得る
- 発熱や肺炎時の基本的な対応を理解する
- 窒息時の緊急対応を理解する
- 合併症としての低栄養の重要性を理解する
- 脱水の評価と対策について理解する

▶ Chapter 1 　**誤嚥と肺炎**（表1）→（eラーニング ▶ スライド2）

　誤嚥イコール肺炎ではない．誤嚥を起こせば必ず肺炎を起こすわけではなく，肺炎の発生には誤嚥物の量，誤嚥物内の細菌量，誤嚥物のpH（胃液を誤嚥した場合にはpHが低いので肺への傷害性が高い），咳反射の有無と喀出力の強弱，肺の局所免疫能，身体の防衛体力（栄養状態，免疫）が関与する．

▶ Chapter 2の確認事項 ▶ eラーニング スライド3対応

1 肺炎の発症要因を理解する．

表1　誤嚥と肺炎

誤嚥＝肺炎ではない	・誤嚥を起こせば必ず肺炎を起こすわけではない
肺炎の発生には以下の条件が関与する	・誤嚥物の量 ・誤嚥物内の細菌量 ・誤嚥物のpH ・咳反射の有無および喀出力の強弱 ・肺の局所免疫能 ・身体の防衛体力：栄養状態，免疫など

▶ Chapter 2 　**肺炎を起こす誤嚥**（表2）→（eラーニング ▶ スライド3）

　肺炎は，日本人の死因の第3位を占める疾患であり，その95％が高齢者である．
　肺炎を起こす誤嚥の一つは食事に伴う誤嚥であり，むせを示す場合と示さない場合（不顕性誤嚥）がある．もう一つは食事に伴わない誤嚥であり，唾液の誤嚥，咽頭分泌物や貯留物の誤嚥である．これはmicro-aspirationと呼ばれる．多くの場合でむせを示さないため，このような唾液の誤嚥を不顕性誤嚥と記載している文献もある．一般的には，耳鼻科やリハビリテーション科などVF観察の歴史のある科の医師は，咳のない誤嚥であれば唾液に限らず不顕性誤嚥と呼ぶが，肺炎発症と関連して誤嚥を考える内科医の場合では，唾液の誤嚥を不顕性誤嚥と呼んでいることが多い．
　夜間の唾液の不顕性誤嚥が，特に高齢者での肺炎には関与していると考えられている．胃食道逆流も誤嚥の原因になり，肺炎の要因となりうる．胃食道逆流は，高齢者や臥床者では自覚症状が少ない．

▶ 127

表2 肺炎を起こす誤嚥

食事に伴う誤嚥	・むせを示す場合と示さない場合（不顕性誤嚥）がある
食事に伴わない誤嚥	・唾液の誤嚥，咽頭分泌物や貯留物・逆流物の誤嚥 ・micro-aspirationと呼ばれる ・多くの場合むせを示さない ・夜間の唾液の不顕性誤嚥が，特に高齢者での肺炎には重要と考えられている ・胃食道逆流があるとそれを誤嚥することもある

表3 肺炎の症状と診断

咳・痰・発熱	・高齢者では上記の症状が必ずすべて出現するとは限らず，ボーッとしている（軽い意識障害），尿失禁をした，などの全般的な身体機能低下症状が出ることも多い
胸部X線またはCTでの浸潤影	・誤嚥性肺炎は右下肺に多い
血液中の白血球・CRPの上昇	・白血球（WBC）正常値：約3,000〜8,000/μL ・CRP正常値：0.4 mg/dL以下
肺炎の診断基準	①胸部X線写真または胸部CTで肺胞性陰影（浸潤影）を認める ②37.5℃以上の発熱，CRPの異常高値，末梢白血球数9,000/μL以上の増加，喀痰など気道症状のいずれか二つ以上存在する場合

Chapter 2 の確認事項 ▶ eラーニング スライド3対応

1 肺炎発症因子の一つである誤嚥の種類を把握する．
2 誤嚥の原因を理解する．

▶ Chapter 3　肺炎の症状と診断（表3）→（eラーニング ▶ スライド4, 5）

　肺炎の3徴は咳・痰・発熱といわれているが，高齢者では上記の症状が必ずすべて出現するとは限らず，ボーッとしている（軽い意識障害），尿失禁をした，などの全般的な身体機能低下症状が出ることも多い．胸部X線またはCTでの浸潤影が肺炎診断の決め手になる．

　誤嚥性肺炎は右下肺に多いとされている．解剖学的に，右の主気管支は左の主気管支より垂直に近いため，誤嚥物は右肺に落ちやすいからである．しかし，吸気の入りやすい上葉に肺炎を起こす症例，臥床がちで背部に肺炎を起こす症例などもあり，右下葉でないことが誤嚥性肺炎でない理由にはならない．

　血液中の白血球，CRPは炎症を示す所見で，肺炎だけでなくさまざまな炎症性疾患（感染症やリウマチなど）で上昇する．白血球の正常値は，測定方法にもよるがおおむね約3,000〜8,000/μLであり，高齢者では低いことが多い．CRP（C反応性タンパク；C reactive protein）は炎症や組織破壊が起きているときに肝臓から産生されるタンパク質で，炎症の強さの指標に使用される．正常値はおおむね0.4 mg/dLであり，1 mg/dLであれば上昇と考えてよい．

　長寿科学総合研究事業「嚥下性肺疾患の診断と治療に関する研究班」による肺炎の診断基準は，「①胸部レントゲン写真または胸部CTで肺胞性陰影（浸潤影）を認める」，「②37.5℃以上の発熱，CRPの異常高値，末梢白血球数9,000/μL以上の増加，喀痰など気道症状のいずれか二つ以上存在する場合」を満たす症例とされている．

　しかし，誤嚥による肺炎，すなわち誤嚥性肺炎がどのような必要条件で診断されるかについて定説は

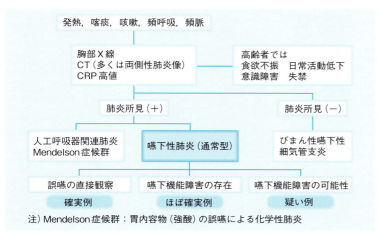

図1　参考：嚥下性肺疾患診断フローチャート（嚥下性肺炎研究会）

表4　「誤嚥性肺炎の臨床診断基準」による定義（嚥下性肺疾患の診断と治療に関する研究班）

I．確実例	I A	明らかな誤嚥が直接確認され，それに引き続き肺炎を発症した症例
	I B	肺炎例で気道より誤嚥内容が吸引等で確認された症例
II．ほぼ確実症例	II A	臨床的に，飲食に伴ってむせなどの嚥下障害を反復して認め，肺炎の診断基準を満たす症例
	II B	I AまたはI Bに該当する症例で，肺炎の診断基準のいずれか一方のみを満たす症例

※　本定義の誤嚥性肺炎は，図1内の「嚥下性肺炎（通常型）」に相当する．

ない．臨床的に肺炎の原因として嚥下障害以外の明らかなものが考慮されない場合，誤嚥性肺炎として対応する．参考として，図1に嚥下性肺疾患診断フローチャート（嚥下性肺炎研究会作成）を掲載する．

長寿科学総合研究事業「嚥下性肺疾患の診断と治療に関する研究班」が発表した「誤嚥性肺炎の臨床診断基準」では，表4のように定義されている（注：ここでいう誤嚥性肺炎は嚥下性肺炎の一部で，図1の「嚥下性肺炎（通常型）」に相当する）．

また，誤嚥性肺炎は常に単独で発症するとは限らず，非誤嚥性の肺炎（インフルエンザ肺炎，肺炎球菌性肺炎など）の発症例が，臥床や経過による廃用で誤嚥をして誤嚥性肺炎を合併することや，慢性の炎症性肺疾患（肺気腫，間質性肺炎など）例が誤嚥をして誤嚥性肺炎を合併することもまれではない．

参考 REFERENCE

誤嚥性肺炎と嚥下性肺炎

いずれも英語のaspiration pneumoniaであり，各学会の用語集によって，誤嚥性肺炎，嚥下性肺炎，あるいは併記しているものがある．ICD-10では嚥下性肺炎だが，同じICD-10のなかに，妊婦中誤嚥性肺臓炎の語もある．耳鼻咽喉科学会は，用語集と，嚥下障害診療ガイドラインのなかでは嚥下性肺炎の語を用いているが，ホームページの市民への啓蒙ページでは，誤嚥性肺炎の語を用いている．以上のように，厳密に嚥下性肺炎の語を用いたい学者が存在しながらも，誤嚥性肺炎のほうが一般には通りがよい，という状況である．嚥下性肺炎の語を用いている医師・執筆者ですらも，さまざまな書籍のなかでは統一せず併用して用いていることがしばしばである．日本呼吸器学会は，呼吸器感染症ガイドラインのなかで，誤嚥性肺炎の語を用いている．DPCでも誤嚥性肺炎である．なお日本摂食嚥下リハビリテーション学会では現在用語集を準備中である．

> **参考 REFERENCE**
>
> ### 医療・介護関連肺炎（NHCAP）
>
> 　2011年8月，日本呼吸器学会より「医療・介護関連肺炎（nursing and healthcare associated pneumonia；NHCAP）」の概念と，診療ガイドラインが発表された．社会の高齢化により，対処の必要性が増大している肺炎の概念の整理である．
> 　NHCAPの定義は，①長期療養型病床群もしくは介護施設に入所している，②90日以内に病院を退院した，③介護を必要とする高齢者，身体障害者，④通院にて継続的に血管内治療（透析，抗菌薬，化学療法，免疫抑制薬等）を受けている症例における肺炎である．NHCAPには「難治性・再燃性で，予後が不良と考えられる高齢者に多い肺炎」と，「耐性菌による肺炎」の二つの大きなタイプが存在するとされており，前者は脳梗塞等の器質的疾患を背景とした誤嚥性肺炎が典型的であるとされている．
>
> 資料：日本呼吸器学会　呼吸器感染症に関するガイドライン作成委員会：医療・介護関連肺炎診療ガイドライン．日本呼吸器学会，東京，2011．

▶ Chapter 3 の確認事項 ▶ eラーニング スライド4, 5対応

1. 肺炎診断の指標を理解する．
2. 臨床上の誤嚥性肺炎対応基準を理解する．
3. 誤嚥性肺炎が複合的に発症する場合もあることを理解する．

▶ Chapter 4　発熱を認めた場合の鑑別診断 → （eラーニング ▶ スライド6）

　嚥下障害の症例が発熱を認めた場合，いつでも必ず誤嚥性肺炎が原因であるわけではない（表5）．嚥下障害症例は，その他の身体機能も低下していることがあり，さまざまな原因で発熱を起こすことがある．診断する立場でなくても，どのようなことなのか理解しておいたほうがよい．

　尿路感染症は，膀胱炎または腎盂腎炎（頻度は低い）のことであり，urinary tract infection；UTIと略されることも多い．尿路カテーテルを留置されていると，尿路感染症を起こす頻度が高くなるが，自排尿，あるいは失禁症例でも，残尿（膀胱中の尿をすべて出し切ることのできない場合）がある場合には尿路感染の頻度が高くなる．治療法は，抗菌薬の投与と残尿をなくす，または減らすことである．

　胆囊炎も長期臥床により発生頻度が上昇する．廃用症候群としての胆囊炎は，禁食を続けて胆汁分泌の需要がなかった期間のあと，消化管が動き始めて胆囊も働き始めないといけない時期に発症しやすく，まさに食事再開時であるために，誤嚥性肺炎による発熱との鑑別が重要である．障害者では，必ずしも腹痛を訴えるとは限らず，採血での胆道系の酵素（ALP・γGTPなど）上昇および炎症所見（CRP，白血球が上昇），エコーやCTで胆囊の拡張などの所見が得られたことと合わせて診断する．治療法は

表5　発熱を認めた場合の鑑別診断

尿路感染症（膀胱炎）（UTI）	・尿混濁がみられ，検尿で尿中の白血球が増加
胆囊炎	・採血で炎症所見と，胆道系の酵素が上昇 ・エコーやCTで胆囊の拡張などの所見がみられる
腸感染症	・下痢のある場合には疑い，便培養を調べる ・院内発症症例ではCD関連腸炎が多い
その他の感染症：上気道，肺	・特に従来から結核，非結核性抗酸菌症などがある場合はその再燃も疑う

禁食，抗菌薬投与，さらにはドレナージ（管を入れる），手術などである．胆嚢炎での禁食期間が長くなると，さらに嚥下機能にも廃用の悪循環が生じる．

腸感染症，下痢のある場合には感染性腸炎を疑い，便を培養して調べる．治療法は抗菌薬，禁食である．院内発症の感染性下痢症の多くは，*Clostridium difficile* 腸炎（CD関連腸炎）である．これは院内感染であり，アルコールでの手洗いが無効で，所定の感染予防対策をとる．

上気道，肺の感染症で発熱する場合があり，特に従来から結核，肺MAC症などがある場合はその再燃である可能性がある．

▶ Chapter 4の確認事項 ▶ eラーニング スライド6対応

1. 発熱が認められた場合の原因を理解する．
2. 尿路感染症，胆嚢炎，腸感染症の概要を押さえる．

▶ Chapter 5　直接訓練施行中の症例が発熱をきたしたら（表6）
→（eラーニング▶スライド7）

主治医と連絡を取り，発熱の原因が直接訓練による誤嚥かどうか判断を仰ぐ．検査結果が出るまで，いったん禁食にするのかどうかの指示を仰ぐ．その場合でも，発熱による体調不良が著明でない限り，嚥下機能低下を予防するために間接訓練は継続したいため，主治医と相談する．

発熱の原因が直接訓練による誤嚥である場合，直接訓練の食形態・介助法・量，不顕性誤嚥の見落としなど見直すべき点がないか検討する．再度直接訓練を再開するかどうか，どのような条件で再開するかについて，主治医の判断を仰ぐ．また，直接訓練以外の項目で追加や見直しが必要な点がないかどうか検討する．たとえば，排痰訓練の強化，口腔ケアの強化，体位への配慮などである．禁食による栄養状態の悪化リスクへの対処（肺炎であればさらに栄養が必要である）についても確認する．

肺炎のコントロールに難渋し，当分禁食することになったり，胃瘻を作成することになったりなど，目標を変更することもありうる．ゴールのレベルを下げることによる本人の心理面にも配慮した対応が望まれる．

▶ Chapter 5の確認事項 ▶ eラーニング スライド7対応

1. 発熱が直接訓練に起因する場合の対応を理解する．

▶ Chapter 6　誤嚥性肺炎の予防 →（eラーニング▶スライド8）

誤嚥性肺炎の予防には，嚥下訓練だけでなく多角的な対応が必要である（表7）．

食事に伴う誤嚥の防止として，嚥下機能改善のための訓練や治療を行い，食事の際には食形態の調整，代償的テクニックの利用，適切な介助に配慮する．禁食も食事に伴う誤嚥の防止手段である．

並行して，唾液の誤嚥によるリスクの軽減も図る．口腔ケアの励行，また，人工呼吸器装着症例などでは咽頭ケアにも心がける．嚥下機能改善のための薬物療法も検討する．

胃食道逆流を軽減することも肺炎の頻度を減らす．食後の座位保持のほか，夜間や臥床時のヘッドアップ体位は効果があるが，ずり落ちにより仙骨部褥瘡をつくらないように配慮する．経腸栄養症例で

表6 直接訓練施行中の症例が発熱をきたしたら

発熱の原因が直接訓練による誤嚥かどうか主治医の判断を仰ぐ	・いったん禁食にするか？ ・間接訓練を継続するか？ ・直接訓練方法に反省点があるか？
発熱の原因が直接訓練による誤嚥である場合	・直接訓練方法に見直すべき点がないか？ ・直接訓練を再開するかどうか，その条件について主治医と相談する ・直接訓練以外に追加や見直し点を検討する ・当分の禁食や胃瘻作成など目標の変更もありうる

表7 誤嚥性肺炎の予防

1. 食事に伴う誤嚥の防止	嚥下機能改善，食形態の調整，代償手段の利用，適切な介助，禁食
2. 唾液誤嚥によるリスクの軽減	口腔ケア（咽頭ケア）励行，嚥下機能改善
3. 胃食道逆流の軽減	体位（臥床時のヘッドアップ），経腸栄養剤の半固形化や消化管運動への配慮
4. 咳・喀出能力の改善	咳反射改善，喀出能力の改善，排痰支援，内服や吸入
5. 全身体力・免疫力の改善	ADLや活動性の改善，栄養サポート

表8 窒息を起こす食物と場面

・窒息を起こす食物は餅だけでなく，ごはん，肉類，パンなど多岐にわたる
・高齢者の咀嚼力低下はリスク要因の一つだが，詰め込み食べなどの食べ方も要因になる
・一見，食事を自立している症例でも窒息の危険はある
・早期発見・早期対応が事故の結果の重要性を左右する

は，逆流を起こさないように過量を避け，半固形での注入を検討したり，注入速度や順序を考慮する．

一方，誤嚥を皆無にすることはできないと考え，咳・喀出能力の改善を図る．内服薬による咳反射改善，訓練による喀出能力の改善，排痰法指導，内服や吸入による援助，機器による排痰支援が行われる．

肺炎からの回復や，1日に何回も咳をするためには，全身体力が必要であり，免疫力の改善のためにもADLや活動性を上げ，栄養状態を改善させる．その目的で，経口摂取を目指す症例でも，点滴や経腸栄養を併用することもある（▶Chapter 10参照）．

Chapter 6の確認事項 ▶eラーニング スライド8対応

1 誤嚥性肺炎予防のための多角的な対応について理解する．

▶Chapter 7　窒息を起こす食物と場面 (表8) → (eラーニング▶スライド9)

窒息による死亡数は，2023（令和5）年には7,779名，そのうち7,131名（91.7％）が高齢者である．

窒息を起こす食物は，餅だけでなくごはん，肉類，パンなど多岐にわたる．高齢者の窒息では，咀嚼力の低下はリスク要因の一つだが，詰め込み食べなどの食べ方も要因になる．

一見，嚥下障害が自覚されておらず，食事が自立している症例でも窒息の危険はある．早期発見・早期対応が事故の結果の重要性を左右するため，ベッドで自立して食べている症例への見回りなども重要である．

Chapter 7の確認事項 ▶eラーニング スライド9対応

1 誤嚥性肺炎の予防的対処法を理解する．
2 窒息を起こす状況を理解する．

表9 窒息時の処置

- 口中から指でかき出す
- 背部叩打
- ハイムリック法（図2）
- 心肺蘇生措置
- マギール鉗子（図3）による摘出
- 吸引

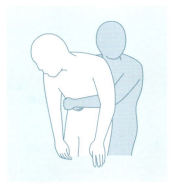

図2 ハイムリック法

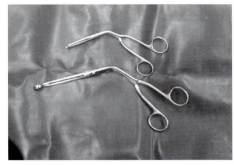

図3 マギール鉗子

Chapter 8　窒息時の処置（表9）→（eラーニング▶スライド10）

窒息時には，バイスタンダー（by stander）と呼ばれる発見者の対応が重要である．

口のなかに食物がみえている場合には，まず指でかき出すことを行ってみる．押し込まないことに注意し，また完全には取れないことも理解しておく．

ハイムリック法（図2）のやり方は，まず患者の背部にまわり両腕で上体を抱え，一方の手でこぶしを握り，剣状突起と臍の間に置き，もう一方の手をその上にかぶせて組む．患者の腹部に食い込ませるように瞬間的に引き上げ，上方に締めつけるように圧排する．

日本救急医療財団心肺蘇生法委員会による日本版救急蘇生ガイドラインでは，意識（反応）のある窒息症例では背部叩打・ハイムリック法を行うこととしており，反応がなく，ぐったりしている場合には心肺停止に対する心肺蘇生をまず開始する．心肺蘇生手技である胸骨圧迫により，異物が除去されることがある．

救急隊員や医師は，窒息症例に対してはマギール鉗子（図3）（および喉頭鏡）による摘出を行うことができる．病院や設備のあるところでは吸引も有効な手段である．日頃は吸引を行わない職種でも，吸引機の基本的な使用方法についてマスターしておくことは，緊急時の吸引施行や多職種による吸引に際しての的確な介助などに役立つ．

なお，かつては痰の吸引は「医行為」とされていたが，現在では理学療法士，作業療法士，言語聴覚士，また，介護福祉士および一定の研修を受けた介護職員等でも一定の条件の下に「たんの吸引」等の行為を実施することができるようになっている．

Chapter 8の確認事項 ▶eラーニング スライド10対応

1. 窒息時のバイスタンダー（発見者の対応）について理解する．
2. ハイムリック法，マギール鉗子による摘出，吸引について理解する．

Chapter 9　窒息が疑われた際の対応（表10）→（eラーニング▶スライド11）

反応（意識），呼吸，脈などを確認しつつ，まず大声を出して人を呼ぶ．在宅であれば救急車を要請する．窒息物の除去を試み，意識障害のある場合には心肺蘇生措置を開始する．人が集まってきたら医師，看護師，救急隊員などに患者本人への処置を交代し，その人を援助するために必要物品を集めたり，

表10 窒息が疑われた際の対応

・反応（意識）・呼吸・脈などを確認 ・人を呼ぶ ・窒息物の除去を試みる ・反応がない（意識消失）場合には心肺蘇生を開始 ・救急カート・酸素関連用品などを集める	・到着した医師などに，窒息の疑いであること，何を窒息したか，いつからか，意識はいつまであったなどを報告する ・記録・報告（インシデントレポートの作成と提出） ・組織として情報の共有，再発予防の検討

　搬送の準備をしたりする．発見者は医師，看護師などに発見時間，窒息の疑いであること，何を窒息したか，いつからか，意識はいつまであったか，などを報告する．記録も重要で，時間経過のメモなどもつけたうえ，一段落したら記録や報告書（インシデントレポート）などを所定の書式で作成する．

　このような事故については，（過失の有無を問わず）組織として情報の共有，再発予防の検討が必要である．上記の対応が素早くできるように日頃から物品の所在を確認し定期的に訓練なども行っておく．

▶ **Chapter 9の確認事項** ▶ eラーニング スライド11 対応

1 窒息が疑われた際の対応を理解する．

▶ Chapter 10　栄養の重要性 （表11）→（eラーニング ▶ スライド12）

　嚥下障害の治療の目的の一つは，嚥下障害に伴う低栄養状態の改善であり，嚥下障害症例では低栄養の評価と対応が重要である．第一に，嚥下障害によって摂食量が少ないために低栄養をきたす．第二に，嚥下障害のある症例は，嚥下に時間がかかることが多く，喀出や微量の誤嚥に対する生体防御反応など，経口摂取と誤嚥に関係するエネルギー消費も大きい．また，嚥下調整食は軟らかくするために水分量を多くしていることがあり，同じ量のものを摂食してもエネルギーが少ないことがある（例：おかゆとごはんの違い）．かつ，低栄養は筋萎縮や筋力低下，あるいは末梢神経障害の要因となり，嚥下機能の改善を阻害しうる．また，低栄養は嚥下障害の合併症である誤嚥性肺炎の悪化要因でもある．したがって，経口摂食で早急に低栄養を改善できる予測が立たなければ，非経口的手段で低栄養を改善することを検討する．

▶ **Chapter 10の確認事項** ▶ eラーニング スライド12 対応

1 嚥下障害症例における低栄養改善の重要性について理解する．

▶ Chapter 11　脱水の危険とその把握 （表12）→（eラーニング ▶ スライド13）

　嚥下障害症例では，嚥下困難による水分摂取量の不足から脱水に陥りやすい．飲む液体の摂取ばかりでなく，経口摂取量が少ないと食品中の水分の摂取も少なくなりうる．また，安全のために液体にとろみを付けることで，味や腹部膨満感のために水分摂取量が少なくなる場合もある．

　一方，嚥下障害がなくても高齢者では脱水のリスクが高い．身体の水分含有量が少なく，摂取量不足の影響を受けやすいうえ，口渇等の症状が現れにくいことにより発見が遅れる．夜間に排尿のために覚醒することやトイレに行くことを嫌がって水分摂取を控えている場合もある．

表11 栄養の重要性

低栄養の弊害	・死亡率の増加，疾患罹患率の増加，感染症や褥創などの感染症の増加をもたらす ・ADLの改善遅延，入院期間延長をもたらす
嚥下障害と低栄養※	・嚥下障害→摂食量・摂取エネルギーの減少→低栄養に注意（在宅で嚥下障害が進行してきた例では要注意） ・低栄養→筋萎縮・筋力低下・末梢神経障害→嚥下改善の阻害 ・低栄養→誤嚥性肺炎の悪化要因

※嚥下障害治療の目的の一つは栄養状態の改善である一方で，低栄養自体も嚥下障害の悪化要因になる．

表12 脱水の危険とその把握

・嚥下困難による水分摂取量の不足
・とろみをつける→味の低下・腹部膨満感→水分摂取量の不足
・元来，高齢者では脱水のリスクが高い
　　身体の水分含有量が少ない
　　口渇等の症状が現れにくい
　　夜間排尿を避けるため水分摂取を控える人がいる
・水分摂取量の把握
　　食事から
　　食事以外から

表13 脱水の所見と対策

脱水の症状	・口渇，尿量減少　・舌乾燥，皮膚乾燥，意識障害
脱水を疑う検査所見	・BUNが高くクレアチニン（Cre）はそれほど高くない（BUN÷Cre＞25）
50 kgの人であれば，最低1,200 mLは摂取が必要	・水分必要量の概算：約1,500 mL 　　体表から失われる水分が1 kgあたり約20 mL 　　老廃物を排出するために必要な最低尿量が約500 mL ・体内での生成：約200〜300 mL
対　策	・頻回の水分補給　　・経口以外の方法での補給も検討

▶ Chapter 11の確認事項 ▶ eラーニング スライド13対応

1 嚥下障害と脱水の相関を理解する．

▶Chapter 12　脱水の所見と対策 (表13) → (eラーニング ▶ スライド14)

　脱水の症状は，口渇，尿量減少のほか，舌乾燥，皮膚乾燥，意識障害などが重要で，これらがそろった場合は，3,000 mL（体水分量の10％）程度の水分欠乏が考えられる．

　血液検査では，BUN（blood urea nitrogen；血中尿素窒素）が高く，クレアチニン（Cre）はそれほど高くないときには脱水を疑う．BUN/Cre比25は一つの目安となる．ヘマトクリット高値（他に多血症でも増加），尿酸高値（他に痛風でも増加）も参考になる．

　体重50 kgの人であれば，体表から失われる水分が1 kgあたり約20 mL，老廃物を排出するために必要な最低尿量が約500 mLであり，1,500 mLの水分が必要である．体内で200〜300 mLは作られるので，最低1,200 mLは摂取が必要となる．こまめに水分補給時間を設けることが基本だが，経口以外の方法で補うことが必要な場合もある．

▶ Chapter 12の確認事項 ▶ eラーニング スライド14対応

1 脱水症状の指標を理解し，脱水への対応法を理解する．

索引

あ

アテローム血栓性脳梗塞　67
意識レベル　118, 119
一側性大脳病変　70
医療・介護関連肺炎（NHCAP）　130
咽頭　34, 37
咽頭期　50, 54, 62
　　──の加齢変化　115
　　──の障害　63
咽頭筋　37
咽頭収縮筋　37
咽頭縫線　38
運動学習　19
運動パターン発生器（CPG）　48, 71
遠隔効果　71
嚥下　27
嚥下運動　46
嚥下中枢　71
嚥下反射　47
延髄外側症候群　71
横披裂筋　39
オトガイ舌骨筋　41

か

開口　44
外喉頭筋　39
外舌筋　36
外側翼突筋　36
外側輪状披裂筋　39
咳反射　47
回復期リハビリテーション　29
下咽頭　34, 37
下咽頭癌　96, 97
顎運動　44
顎下腺　37
拡散強調画像　68
学習曲線　24
顎舌骨筋　41
顎二腹筋　41
仮声帯　38
活動機能構造連関　15
活動性　3
過負荷の法則　15
加齢　110
間接練習（間接訓練）　22
顔面神経（Ⅶ）　45, 47

気管カニューレ　122
気管切開　122
偽性球麻痺　70, 72, 73, 74
機能的自立度評価法　7
逆流性食道炎　106
臼歯　34, 35
急性期リハビリテーション　29
臼磨運動　44
球麻痺　70, 71, 72, 74
胸部食道　41
虚血性ペナンブラ　68
筋萎縮性側索硬化症（ALS）　77, 79, 80
筋強直性ジストロフィー（DM）　84
筋緊張症　84
くも膜下出血　67
クレアチニン　135
頸神経ワナ　47
茎突咽頭筋　38
茎突舌骨筋　41
軽度認知障害（MCI）　101
経鼻経管栄養チューブ　123
頸部食道　41
血管性認知症（VaD）　104, 105, 106
血中尿素窒素（BUN）　135
限界難度　24
犬歯　35
原疾患　6
口蓋　34
口蓋咽頭筋　38
口蓋垂　34
口蓋帆　34
工学的支援　16
口峡　34
咬筋　36
口腔　34
口腔癌　93
口腔乾燥症　114
口腔期　50, 54, 61
　　──の障害　62
口腔前庭　34
口腔底　34
硬口蓋　34
抗コリン剤　81
甲状披裂筋　39
口唇　34
喉頭　34, 38
喉頭亜全摘術（SCPL-CHEP）　96

喉頭蓋谷　37, 38
喉頭下垂　114
喉頭癌　96, 97
喉頭前庭　38
後輪状披裂筋　39
誤嚥　127
誤嚥性肺炎　110, 111, 129, 131
国際障害分類（ICIDH）　6
国際生活機能分類（ICF）　6
鼓索神経　45
固有口腔　34
混合性唾液　37

さ

サブスタンスP　47, 120
三叉神経（Ⅴ）　45, 47
耳下腺　37
耳管咽頭筋　38
歯根膜　35
視床下核脳深部脳刺激法（STN-DBS）　82
歯槽骨　35
絞り込み運動（舌）　51
社会的不利　6
斜披裂筋　39
重症筋無力症（MG）　86
準備期　43, 50, 54, 60
　　──の障害　60
上咽頭　34, 37
漿液性唾液　37
障害　2
食道　34, 41
食道期　50, 54, 63
　　──の加齢変化　115
　　──の障害　64
歯列弓　35
心原性脳塞栓症　67
スクリーニング検査　101
生活期リハビリテーション　29
声帯　39
声帯筋　39
声門　38
声門裂　38
舌　45, 114
舌圧　114
舌咽神経（Ⅸ）　47
舌咽頭筋　38

舌下神経（XII）　47
舌下腺　37
舌癌　94
舌筋　36
舌骨　40
舌骨下筋群　39, 41
舌骨筋　41
舌骨上筋群　39, 40
舌根　35
切歯　35
摂食嚥下障害　27
摂食機能療法　31
舌神経　45
舌乳頭　35
舌背　35
先行期　42, 54, 59
　──の障害　59
前歯　34
前頭側頭型認知症（FTD）　108, 109
側頭筋　36
咀嚼　51
咀嚼運動　44
咀嚼筋　36

た

第1期輸送　51
第2期輸送　51, 52
ダイアスキーシス　71
体性感覚　45
唾液　44
唾液腺　37, 114
唾液分泌低下　113
脱水　134, 135
窒息　110, 111, 132, 133
遅発性摂食嚥下障害　75
中咽頭　34, 37
中咽頭癌　95
直接練習（直接訓練）　22
治療的学習　15, 18
低栄養　110, 134
デュシェンヌ型筋ジストロフィー
　（DMD）　83
頭頸部癌　88
頭部CT検査　68
頭部MRI検査　68
ドーパミン　81
ドーパミン受容体作動薬　81
ドーパミン前駆物質　81

な

内喉頭筋　39
内舌筋　36
内側翼突筋　36
難易度パラドクス　24, 25
軟口蓋　34
日常生活活動　7
尿路感染症（UTI）　130
認知機能検査　101
認知症　100, 103
粘液性唾液　37
脳幹網様体　70, 118
脳血管障害　67
脳血栓　67
脳梗塞　67
脳出血　67
脳塞栓　67
脳卒中　67

は

％肺活量（％FVC）　79
パーキンソン病（PD）　77, 81, 82
バイスタンダー　133
ハイムリック法　133
廃用　12
廃用性筋力低下　15
鼻咽腔閉鎖不全　63
鼻腔　34
病態生理　6
披裂間切痕　38
披裂喉頭蓋筋　39
腹部食道　41
不顕性誤嚥　127
不動　12
不動・廃用症候群　14
プルバック運動　51
プロセスモデル　49, 50
扁平上皮癌　88
放射線治療　90
捕食　43
補助パラドクス　24

ま

マギール鉗子　133
ミオトニア　84
味覚　45

味蕾　35
迷走神経（X）　47

や

遊離組織移植　93

ら

ラクナ梗塞　67
梨状窩（梨状陥凹）　37
リハビリテーション医学　2
リハビリテーションチーム　8
輪状咽頭筋　38
輪状甲状筋　39
レボドパ製剤　81
老嚥　112

数字・欧文

2相性食物　54
4期モデル　49
5期モデル　42, 49, 54
ADL　7
ALS機能評価尺度　79
Alzheimer型認知症（ATD）　104, 105
Clostridium difficile 腸炎（CD関連腸炎）　131
CPG　48, 71
C反応性タンパク（CRP）　128
delayed dysphagia　75
dysphagia　27
FIM　7
Hoehn-Yahr分類　81
ICF　6
ICIDH　6
interdisciplinary team　8
Japan Coma Scale（JCS）　118, 119
Lewy小体型認知症（DLB）　104, 107, 108
micro-aspiration　127
multidisciplinary team　8
Nagiの障害モデル　6
on-off現象　81
Speech-Swallow Dissociation（SSD）　74
stage I transport　51
stage II transport　51, 52
squeeze back運動　51
transdisciplinary team　9
Wallenberg症候群　71, 72
wearing-off　82

日本摂食嚥下リハビリテーション学会
eラーニング対応
第1分野 摂食嚥下リハビリ
テーションの全体像Ver. 4　　　ISBN978-4-263-45165-6

2010年11月10日　第1版第1刷発行
2015年12月25日　第2版第1刷発行
2020年 9 月 1 日　第3版第1刷発行
2025年 2 月25日　第4版第1刷発行

　　編　集　日本摂食嚥下リハビリ
　　　　　　テーション学会
　　発行者　白　石　泰　夫
　　発行所　医歯薬出版株式会社
　　〒113-8612　東京都文京区本駒込1-7-10
　　TEL.（03）5395-7638（編集）・7630（販売）
　　FAX.（03）5395-7639（編集）・7633（販売）
　　　　　　https://www.ishiyaku.co.jp/
　　郵便振替番号 00190-5-13816

乱丁,落丁の際はお取り替えいたします.　　印刷・真興社／製本・皆川製本所
　　　　　　　　© Ishiyaku Publishers, Inc., 2010, 2025. Printed in Japan

本書の複製権・翻訳権・翻案権・上映権・譲渡権・貸与権・公衆送信権（送信可能化権を含む）・口述権は，医歯薬出版（株）が保有します．
本書を無断で複製する行為（コピー，スキャン，デジタルデータ化など）は，「私的使用のための複製」などの著作権法上の限られた例外を除き禁じられています．また私的使用に該当する場合であっても，請負業者等の第三者に依頼し上記の行為を行うことは違法となります．

JCOPY ＜出版者著作権管理機構 委託出版物＞
本書をコピーやスキャン等により複製される場合は，そのつど事前に出版者著作権管理機構（電話03-5244-5088，FAX 03-5244-5089，e-mail：info@jcopy.or.jp）の許諾を得てください．